住房和城乡建设领域施工现场专业人员继续教育培训教材

机械员岗位知识
（第二版）

中国建设教育协会继续教育委员会　组织编写

中国建筑工业出版社

图书在版编目（CIP）数据

机械员岗位知识／中国建设教育协会继续教育委员会组织编写. — 2版. — 北京：中国建筑工业出版社，2021.8（2022.2重印）
住房和城乡建设领域施工现场专业人员继续教育培训教材
ISBN 978-7-112-26399-8

Ⅰ. ①机… Ⅱ. ①中… Ⅲ. ①建筑机械-继续教育-教材 Ⅳ. ①TU6

中国版本图书馆 CIP 数据核字（2021）第 144948 号

本书为住房和城乡建设领域施工现场专业人员继续教育培训教材之一。全书介绍了建筑机械管理相关法律法规以及新标准、新规范，详细说明了近年来出现的新型建筑机械，并对建筑起重机械监控应用技术、组合铝合金模板施工技术、预防性维修等新技术、新工艺进行了深入解读。

本书适用于机械员的继续教育，同时可供相关专业人员参考。

责任编辑：李　明　李　杰
助理编辑：葛又畅
责任校对：李美娜

住房和城乡建设领域施工现场专业人员继续教育培训教材
机械员岗位知识（第二版）
中国建设教育协会继续教育委员会　组织编写

*

中国建筑工业出版社出版、发行（北京海淀三里河路9号）

各地新华书店、建筑书店经销

北京鸿文瀚海文化传媒有限公司制版

河北鹏润印刷有限公司印刷

*

开本：787毫米×1092毫米　1/16　印张：7¼　字数：176千字
2021年10月第二版　　2022年2月第二次印刷
定价：**30.00**元
ISBN 978-7-112-26399-8
（37928）

丛书编委会

出版说明

　　住房和城乡建设领域施工现场专业人员（以下简称施工现场专业人员）是工程建设项目现场技术和管理关键岗位从业人员，人员队伍素质是影响工程质量和安全生产的关键因素。当前，我国建筑行业仍处于较快发展进程中，城镇化建设方兴未艾，城市房屋建设、基础设施建设、工业与能源基地建设、交通设施建设等市场需求旺盛。为适应行业发展需求，各类新标准、新规范陆续颁布实施，各种新技术、新设备、新工艺、新材料不断涌现，工程建设领域的知识更新和技术创新进一步加快。

　　为加强住房和城乡建设领域人才队伍建设，提升施工现场专业人员职业水平，住房和城乡建设部印发了《关于改进住房和城乡建设领域施工现场专业人员职业培训工作的指导意见》（建人〔2019〕9号）、《关于推进住房和城乡建设领域施工现场专业人员职业培训工作的通知》（建办人函〔2019〕384号），并委托中国建筑工业出版社组织制定了《住房和城乡建设领域施工现场专业人员继续教育大纲》。依据大纲，中国建筑工业出版社、中国建设教育协会继续教育委员会和江苏省建设教育协会，共同组织行业内具有多年教学和现场管理实践经验的专家编写了本套教材。

　　本套教材共14本，即：《公共基础知识（第二版）》（各岗位通用）与《××员岗位知识（第二版）》（13个岗位），覆盖了《建筑与市政工程施工现场专业人员职业标准》涉及的施工员、质量员、标准员、材料员、机械员、劳务员、资料员等13个岗位，结合企业发展与从业人员技能提升需求，精选教学内容，突出能力导向，助力施工现场专业人员更新专业知识，提升专业素质、职业水平和道德素养。

　　我们的编写工作难免存在不足，请使用本套教材的培训机构、教师和广大学员多提宝贵意见，以便进一步修订完善。

第二版前言

为贯彻落实《关于改进住房和城乡建设领域施工现场专业人员职业培训工作的指导意见》(建人〔2019〕9号),规范开展施工现场专业人员培训,中国建设教育协会继续教育委员会和江苏省建设教育协会共同组织了住房和城乡建设领域施工现场专业人员继续教育培训教材的编写工作。

本书作为《住房和城乡建设领域施工现场专业人员继续教育培训教材》中的一本,依据《建筑与市政工程施工现场专业人员职业标准》JGJ/T 250—2011,在机械员培训教材的基础上编写,是对培训教材的完善和提高。

本次修订,对最新的法律法规、标准规范等进行了梳理,优选出与建筑机械管理相关的重点内容,并对新型建筑机械及新技术、新工艺等部分的内容进行了调整、补充,可使机械员快速了解最新知识,以达到机械员管理水平持续提高的目的。

本书共4章,内容包括:建筑机械管理相关法律法规,新标准、新规范,新型建筑机械,新技术、新工艺。本书通俗易懂,图文并茂,深入浅出,力求做到易学、易懂、易记、易操作,既可作为机械员继续教育用书,又可作为施工现场相关专业人员的实用工具书,也可供职业院校师生和相关专业人员参考使用。

本书由江苏省工业设备安装集团有限公司马记、江苏邗建集团有限公司李百年担任主编,江苏省工业设备安装集团有限公司陆锋、海门市设备安装工程有限公司许东强参加了编写工作。本书编写过程中还得到有关领导、专家和业内工程技术人员的大力支持和帮助,在此表示诚挚的谢意。

由于时间仓促,编者水平有限,如有疏漏之处,恳请广大读者批评指正,以便我们认真加以修改,不断完善。

第一版前言

为贯彻落实《关于改进住房和城乡建设领域施工现场专业人员职业培训工作的指导意见》(建人〔2019〕9号),规范开展施工现场专业人员培训,中国建设教育协会继续教育委员会和江苏省建设教育协会共同组织了住房和城乡建设领域施工现场专业人员继续教育培训教材的编写工作。

本书作为《住房和城乡建设领域施工现场专业人员继续教育培训教材》中的一本,依据《建筑与市政工程施工现场专业人员职业标准》JGJ/T 250—2011,在机械员培训教材的基础上编写,是对培训教材的完善和提高。

本书将最新的法律法规、规程规范、新设备、新技术、新工艺进行整合,可使机械员快速了解最新的法律法规、专业技术、管理知识,以达到机械员管理水平持续提高的目的。

本书共4章,内容包括:建筑机械管理相关法律法规,新标准、新规范,新型建筑机械介绍,新技术、新工艺。本书针对性较强,通俗易懂,图文并茂,深入浅出,力求做到易学、易懂、易记、易操作,既可作为机械员继续教育用书,又可作为施工现场相关专业人员的实用工具书,也可供职业院校师生和相关专业人员参考使用。

本书由江苏省工业设备安装集团有限公司马记、海门市设备安装工程有限公司许东强担任主编,江苏省建筑工程集团有限公司温锦明、无锡旅游商贸高等职业技术学校蔡国英参加了编写工作。本书编写过程中还得到有关领导、专家和业内工程技术人员的大力支持和帮助,在此表示诚挚的谢意。

由于时间仓促,编者水平有限,如有疏漏之处,恳请广大读者批评指正,以便我们认真加以修改,不断完善。

目　　录

第1章 建筑机械管理相关法律法规

目前涉及建筑机械管理的法律法规及技术标准规范很多，从法律法规的构成体系来看，它主要包括：宪法、法律、行政法规、部门规章、地方性法规和地方政府规章，以及与建筑机械管理相关的技术规范与技术标准。这些法律法规、技术规范和技术标准，虽然适用对象和范围有所不同，但相互之间都有一定的内在联系。

为了帮助机械管理人员快速学习、掌握、应用法律法规知识，本章将重点介绍与建筑机械管理密切相关的法律法规。

第1节 《中华人民共和国特种设备安全法》（节选）

为了加强特种设备安全工作，预防特种设备事故，保障人身和财产安全，促进经济社会发展，我国特制定了《中华人民共和国特种设备安全法》（以下简称《特种设备安全法》）。本法由第十二届全国人民代表大会常务委员会第三次会议于 2013 年 6 月 29 日通过，自 2014 年 1 月 1 日起施行。本法共七章一百零一条。本法对特种设备的生产、经营、使用，检验、检测及监督管理，均作了明确的规定。

1.1.1 概念

1. 特种设备

特种设备是指对人身和财产安全有较大危险性的锅炉、压力容器（含氧气瓶）、压力管道、电梯、起重机械、客运索道、大型游乐设施、场内专用机动车辆，以及法律法规规定适用本法的其他特种设备。

2. 生产

特种设备的生产包括设计、制造、安装、改造和修理。

3. 特种设备安全工作的原则

《特种设备安全法》第三条规定：特种设备安全工作应当坚持安全第一、预防为主、节能环保、综合治理的原则。

1.1.2 管理实施

《特种设备安全法》第四条规定：国家对特种设备的生产、经营、使用，实施分类的、全过程的安全监督管理。

《特种设备安全法》第五条规定：国务院负责特种设备安全监督管理的部门对全国特种设备安全实施监督管理。县级以上地方各级人民政府负责特种设备安全监督管理的部门对本行政区域内特种设备安全实施监督管理。

《特种设备安全法》第六条规定：国务院和地方各级人民政府应当加强对特种设备安全工作的领导，督促各有关部门依法履行监督管理职责。

县级以上地方各级人民政府应当建立协调机制，及时协调、解决特种设备安全监督管理中存在的问题。

《特种设备安全法》第七条规定：特种设备生产、经营、使用单位应当遵守本法和其他有关法律、法规、建立、健全特种设备安全和节能责任制度，加强特种设备安全和节能管理，确保特种设备生产、经营、使用安全，符合节能要求。

《特种设备安全法》第八条规定：特种设备生产、经营、使用、检验、检测应当遵守有关特种设备安全技术规范及相关标准。

特种设备安全技术规范由国务院负责特种设备安全监督管理的部门制定。

《特种设备安全法》第十一条规定：负责特种设备安全监督管理的部门应当加强特种设备安全宣传教育，普及特种设备安全知识，增强社会公众的特种设备安全意识。

《特种设备安全法》第十二条规定：任何单位和个人有权向负责特种设备安全监督管理的部门和有关部门举报涉及特种设备安全的违法行为，接到举报的部门应当及时处理。

1.1.3　工作职责及人员资格的规定

1. 特种设备生产、经营、使用单位及其主要负责人的工作职责

《特种设备安全法》第十三条规定：特种设备生产、经营、使用单位及其主要负责人对其生产、经营、使用的特种设备安全负责。

特种设备生产、经营、使用单位应当按照国家有关规定配备特种设备安全管理人员、检测人员和作业人员，并对其进行必要的安全教育和技能培训。

《特种设备安全法》第十五条规定：特种设备生产、经营、使用单位对其生产、经营、使用的特种设备应当进行自行检测和维护保养，对国家规定实行检验的特种设备应当及时申报并接受检验。

《特种设备安全法》第十六条规定：特种设备采用新材料、新技术、新工艺，与安全技术规范的要求不一致，或者安全技术规范未作要求、可能对安全性能有重大影响的，应当向国务院负责特种设备安全监督管理的部门申报，由国务院负责特种设备安全监督管理的部门及时委托安全技术咨询机构或者相关专业机构进行技术评审，评审结果经国务院负责特种设备安全监督管理的部门批准，方可投入生产、使用。

国务院负责特种设备安全监督管理的部门应当将允许使用的新材料、新技术、新工艺的有关技术要求，及时纳入安全技术规范。

2. 人员资格

《特种设备安全法》第十四条规定：特种设备安全管理人员、检测人员和作业人员应当按照国家有关规定取得相应资格，方可从事相关工作。特种设备安全管理人员、检测人员和作业人员应当严格执行安全技术规范和管理制度，保证特种设备安全。

国家鼓励投保特种设备安全责任保险。

1.1.4　生产单位的有关规定

1. 特种设备生产单位应当具备的条件

《特种设备安全法》第十八条规定：国家按照分类监督管理的原则对特种设备生产实行许可制度。特种设备生产单位应当具备下列条件，并经负责特种设备安全监督管理的部门许可，方可从事生产活动：

（1）有与生产相适应的专业技术人员；

（2）有与生产相适应的设备、设施和工作场所；

（3）有健全的质量保证、安全管理和岗位责任等制度。

2. 生产要求

《特种设备安全法》第十九条规定：特种设备生产单位应当保证特种设备生产符合安全技术规范及相关标准的要求，对其生产的特种设备的安全性能负责。不得生产不符合安全性能要求和能效指标以及国家明令淘汰的特种设备。

《特种设备安全法》第二十条规定：锅炉、气瓶、氧舱、客运索道、大型游乐设施的设计文件，应当经负责特种设备安全监督管理的部门核准的检验机构鉴定，方可用于制造。

特种设备产品、部件或者试制的特种设备新产品、新部件以及特种设备采用的新材料，按照安全技术规范的要求需要通过型式试验进行安全性验证的，应当经负责特种设备安全监督管理的部门核准的检验机构进行型式试验。

《特种设备安全法》第二十一条规定：特种设备出厂时，应当随附安全技术规范要求的设计文件、产品质量合格证明、安装及使用维护保养说明、监督检验证明等相关技术资料和文件，并在特种设备显著位置设置产品铭牌、安全警示标志及其说明。

《特种设备安全法》第二十二条规定：电梯的安装、改造、修理，必须由电梯制造单位或者其委托的依照本法取得相应许可的单位进行。电梯制造单位委托其他单位进行电梯安装、改造、修理的，应当对其安装、改造、修理进行安全指导和监控，并按照安全技术规范的要求进行校验和调试。电梯制造单位对电梯安全性能负责。

《特种设备安全法》第二十三条规定：特种设备安装、改造、修理的施工单位应当在施工前将拟进行的特种设备安装、改造、修理情况书面告知直辖市或者设区的市级人民政府负责特种设备安全监督管理的部门。

《特种设备安全法》第二十四条规定：特种设备安装、改造、修理竣工后，安装、改造、修理的施工单位应当在验收后三十日内将相关技术资料和文件移交特种设备使用单位。特种设备使用单位应当将其存入该特种设备的安全技术档案。

《特种设备安全法》第二十五条规定：锅炉、压力容器、压力管道元件等特种设备的制造过程和锅炉、压力容器、压力管道、电梯、起重机械、客运索道、大型游乐设施的安装、改造、重大修理过程，应当经特种设备检验机构按照安全技术规范的要求进行监督检验；未经监督检验或者监督检验不合格的，不得出厂或者交付使用。

《特种设备安全法》第二十六条规定：国家建立缺陷特种设备召回制度。因生产原因造成特种设备存在危及安全的同一性缺陷的，特种设备生产单位应当立即停止生产，主动召回。

国务院负责特种设备安全监督管理的部门发现特种设备存在应当召回而未召回的情形时，应当责令特种设备生产单位召回。

1.1.5　经营单位的有关规定

1. 销售单位

《特种设备安全法》第二十七条规定：特种设备销售单位销售的特种设备，应当符合安全技术规范及相关标准的要求，其设计文件、产品质量合格证明、安装及使用维护保养说明、监督检验证明等相关技术资料和文件应当齐全。

特种设备销售单位应当建立特种设备检查验收和销售记录制度。

禁止销售未取得许可生产的特种设备，未经检验和检验不合格的特种设备，或者国家明令淘汰和已经报废的特种设备。

2. 出租单位

《特种设备安全法》第二十八条规定：特种设备出租单位不得出租未取得许可生产的特种设备或者国家明令淘汰和已经报废的特种设备，以及未按照安全技术规范的要求进行维护保养和未经检验或者检验不合格的特种设备。

《特种设备安全法》第二十九条规定：特种设备在出租期间的使用管理和维护保养义务由特种设备出租单位承担，法律另有规定或者当事人另有约定的除外。

3. 进口设备

《特种设备安全法》第三十条规定：进口的特种设备应当符合我国安全技术规范的要求，并经检验合格；需要取得我国特种设备生产许可的，应当取得许可。

进口特种设备随附的技术资料和文件应当符合本法第二十一条的规定，其安装及使用维护保养说明、产品铭牌、安全警示标志及其说明应当采用中文。

特种设备的进出口检验，应当遵守有关进出口商品检验的法律、行政法规。

《特种设备安全法》第三十一条规定：进口特种设备，应当向进口地负责特种设备安全监督管理的部门履行提前告知义务。

1.1.6 使用单位的有关规定

1. 设备要求

《特种设备安全法》第三十二条规定：特种设备使用单位应当使用取得许可生产并经检验合格的特种设备。

禁止使用国家明令淘汰和已经报废的特种设备。

2. 使用要求

《特种设备安全法》第三十三条规定：规定特种设备使用单位应当在特种设备投入使用前或者投入使用后三十日内，向负责特种设备安全监督管理的部门办理使用登记，取得使用登记证书。登记标志应当置于该特种设备的显著位置。

《特种设备安全法》第三十四条规定：特种设备使用单位应当建立岗位责任、隐患治理、应急救援等安全管理制度，制定操作规程，保证特种设备安全运行。

《特种设备安全法》第三十五条规定：特种设备使用单位应当建立特种设备安全技术档案。安全技术档案应当包括以下内容：

（1）特种设备的设计文件、产品质量合格证明、安装及使用维护保养说明、监督检验证明等相关技术资料和文件；

（2）特种设备的定期检验和定期自行检查记录；

（3）特种设备的日常使用状况记录；

（4）特种设备及其附属仪器仪表的维护保养记录；

（5）特种设备的运行故障和事故记录。

《特种设备安全法》第三十六条规定：电梯、客运索道、大型游乐设施等为公众提供服务的特种设备的运营使用单位，应当对特种设备的使用安全负责，设置特种设备安全管理机构或者配备专职的特种设备安全管理人员；其他特种设备使用单位，应当根据情况设置特种设备安全管理机构或者配备专职、兼职的特种设备安全管理人员。

《特种设备安全法》第三十七条规定：特种设备的使用应当具有规定的安全距离、安全防护措施。

与特种设备安全相关的建筑物、附属设施，应当符合有关法律、行政法规的规定。

《特种设备安全法》第三十八条规定：特种设备属于共有的，共有人可以委托物业服务单位或者其他管理人管理特种设备，受托人履行本法规定的特种设备使用单位的义务，承担相应责任。共有人未委托的，由共有人或者实际管理人履行管理义务，承担相应责任。

《特种设备安全法》第三十九条规定：特种设备使用单位应当对其使用的特种设备进行经常性维护保养和定期自行检查，并作出记录。

特种设备使用单位应当对其使用的特种设备的安全附件、安全保护装置进行定期校验、检修，并作出记录。

《特种设备安全法》第四十条规定：特种设备使用单位应当按照安全技术规范的要求，在检验合格有效期届满前一个月向特种设备检验机构提出定期检验要求。

特种设备检验机构接到定期检验要求后，应当按照安全技术规范的要求及时进行安全性能检验。特种设备使用单位应当将定期检验标志置于该特种设备的显著位置。

未经定期检验或者检验不合格的特种设备，不得继续使用。

《特种设备安全法》第四十一条规定：特种设备安全管理人员应当对特种设备使用状况进行经常性检查，发现问题应当立即处理；情况紧急时，可以决定停止使用特种设备并及时报告本单位有关负责人。

特种设备作业人员在作业过程中发现事故隐患或者其他不安全因素，应当立即向特种设备安全管理人员和单位有关负责人报告；特种设备运行不正常时，特种设备作业人员应当按照操作规程采取有效措施保证安全。

《特种设备安全法》第四十二条规定：特种设备出现故障或者发生异常情况，特种设备使用单位应当对其进行全面检查，消除事故隐患，方可继续使用。

《特种设备安全法》第四十三条规定：客运索道、大型游乐设施在每日投入使用前，其运营使用单位应当进行试运行和例行安全检查，并对安全附件和安全保护装置进行检查确认。

电梯、客运索道、大型游乐设施的运营使用单位应当将电梯、客运索道、大型游乐设施的安全使用说明、安全注意事项和警示标志置于易于为乘客注意的显著位置。

公众乘坐或者操作电梯、客运索道、大型游乐设施，应当遵守安全使用说明和安全注意事项的要求，服从有关工作人员的管理和指挥；遇有运行不正常时，应当按照安全指引，有序撤离。

《特种设备安全法》第四十五条规定：电梯的维护保养应当由电梯制造单位或者依照本法取得许可的安装、改造、修理单位进行。

电梯的维护保养单位应当在维护保养中严格执行安全技术规范的要求，保证其维护保养的电梯的安全性能，并负责落实现场安全防护措施，保证施工安全。

电梯的维护保养单位应当对其维护保养的电梯的安全性能负责；接到故障通知后，应当立即赶赴现场，并采取必要的应急救援措施。

《特种设备安全法》第四十六条规定：电梯投入使用后，电梯制造单位应当对其制造的电梯的安全运行情况进行跟踪调查和了解，对电梯的维护保养单位或者使用单位在维护保养和安全运行方面存在的问题，提出改进建议，并提供必要的技术帮助；发现电梯存在严重事故隐患时，应当及时告知电梯使用单位，并向负责特种设备安全监督管理的部门报告。电梯制造单位对调查和了解的情况，应当作出记录。

3. 变更登记与注销

《特种设备安全法》第四十七条规定：特种设备进行改造、修理，按照规定需要变更使用登记的，应当办理变更登记，方可继续使用。

《特种设备安全法》第四十八条规定：特种设备存在严重事故隐患，无改造、修理价值，或者达到安全技术规范规定的其他报废条件的，特种设备使用单位应当依法履行报废义务，采取必要措施消除该特种设备的使用功能，并向原登记的负责特种设备安全监督管理的部门办理使用登记证书注销手续。

前款规定报废条件以外的特种设备，达到设计使用年限可以继续使用的，应当按照安全技术规范的要求通过检验或者安全评估，并办理使用登记证书变更，方可继续使用。允许继续使用的，应当采取加强检验、检测和维护保养等措施，确保使用安全。

1.1.7　对检验、检测机构的管理规定

1. 条件规定

《特种设备安全法》第五十条规定：从事本法规定的监督检验、定期检验的特种设备检验机构，以及为特种设备生产、经营、使用提供检测服务的特种设备检测机构，应当具备下列条件，并经负责特种设备安全监督管理的部门核准，方可从事检验、检测工作：

（1）有与检验、检测工作相适应的检验、检测人员；

（2）有与检验、检测工作相适应的检验、检测仪器和设备；

（3）有健全的检验、检测管理制度和责任制度。

《特种设备安全法》第五十一条规定：特种设备检验、检测机构的检验、检测人员应当经考核，取得检验、检测人员资格，方可从事检验、检测工作。

特种设备检验、检测机构的检验、检测人员不得同时在两个以上检验、检测机构中执业；变更执业机构的，应当依法办理变更手续。

2. 工作职责

《特种设备安全法》第五十二条规定：特种设备检验、检测工作应当遵守法律、行政法规的规定，并按照安全技术规范的要求进行。

特种设备检验、检测机构及其检验、检测人员应当依法为特种设备生产、经营、使用单位提供安全、可靠、便捷、诚信的检验、检测服务。

《特种设备安全法》第五十三条规定：特种设备检验、检测机构及其检验、检测人员应当客观、公正、及时地出具检验、检测报告，并对检验、检测结果和鉴定结论负责。

特种设备检验、检测机构及其检验、检测人员在检验、检测中发现特种设备存在严重事故隐患时，应当及时告知相关单位，并立即向负责特种设备安全监督管理的部门报告。

负责特种设备安全监督管理的部门应当组织对特种设备检验、检测机构的检验、检测结果和鉴定结论进行监督抽查，但应当防止重复抽查。监督抽查结果应当向社会公布。

《特种设备安全法》第五十四条规定：特种设备生产、经营、使用单位应当按照安全技术规范的要求向特种设备检验、检测机构及其检验、检测人员提供特种设备相关资料和必要的检验、检测条件，并对资料的真实性负责。

《特种设备安全法》第五十五条规定：特种设备检验、检测机构及其检验、检测人员

对检验、检测过程中知悉的商业秘密，负有保密义务。

特种设备检验、检测机构及其检验、检测人员不得从事有关特种设备的生产、经营活动，不得推荐或者监制、监销特种设备。

《特种设备安全法》第五十六条规定：特种设备检验机构及其检验人员利用检验工作故意刁难特种设备生产、经营、使用单位的，特种设备生产、经营、使用单位有权向负责特种设备安全监督管理的部门投诉，接到投诉的部门应当及时进行调查处理。

1.1.8　监督管理的规定

1. 监督管理部门的管理职责

《特种设备安全法》第五十七条规定：负责特种设备安全监督管理的部门依照本法规定，对特种设备生产、经营、使用单位和检验、检测机构实施监督检查。

负责特种设备安全监督管理的部门应当对学校、幼儿园以及医院、车站、客运码头、商场、体育场馆、展览馆、公园等公众聚集场所的特种设备，实施重点安全监督检查。

《特种设备安全法》第五十八条规定：负责特种设备安全监督管理的部门实施本法规定的许可工作，应当依照本法和其他有关法律、行政法规规定的条件和程序以及安全技术规范的要求进行审查；不符合规定的，不得许可。

《特种设备安全法》第五十九条规定：负责特种设备安全监督管理的部门在办理本法规定的许可时，其受理、审查、许可的程序必须公开，并应当自受理申请之日起三十日内，作出许可或者不予许可的决定；不予许可的，应当书面向申请人说明理由。

《特种设备安全法》第六十条规定：负责特种设备安全监督管理的部门对依法办理使用登记的特种设备应当建立完整的监督管理档案和信息查询系统；对达到报废条件的特种设备，应当及时督促特种设备使用单位依法履行报废义务。

2. 监督管理部门的职权

《特种设备安全法》第六十一条规定：负责特种设备安全监督管理的部门在依法履行监督检查职责时，可以行使下列职权：

（1）进入现场进行检查，向特种设备生产、经营、使用单位和检验、检测机构的主要负责人和其他有关人员调查、了解有关情况；

（2）根据举报或者取得的涉嫌违法证据，查阅、复制特种设备生产、经营、使用单位和检验、检测机构的有关合同、发票、账簿以及其他有关资料；

（3）对有证据表明不符合安全技术规范要求或者存在严重事故隐患的特种设备实施查封、扣押；

（4）对流入市场的达到报废条件或者已经报废的特种设备实施查封、扣押；

（5）对违反本法规定的行为作出行政处罚决定。

3. 履责规定

《特种设备安全法》第六十二条规定：负责特种设备安全监督管理的部门在依法履行职责过程中，发现违反本法规定和安全技术规范要求的行为或者特种设备存在事故隐患时，应当以书面形式发出特种设备安全监察指令，责令有关单位及时采取措施予以改正或者消除事故隐患。紧急情况下要求有关单位采取紧急处置措施的，应当随后补发特种设备安全监察指令。

《特种设备安全法》第六十三条规定：负责特种设备安全监督管理的部门在依法履行

职责过程中，发现重大违法行为或者特种设备存在严重事故隐患时，应当责令有关单位立即停止违法行为、采取措施消除事故隐患，并及时向上级负责特种设备安全监督管理的部门报告。接到报告的负责特种设备安全监督管理的部门应当采取必要措施，及时予以处理。

对违法行为、严重事故隐患的处理需要当地人民政府和有关部门的支持、配合时，负责特种设备安全监督管理的部门应当报告当地人民政府，并通知其他有关部门。当地人民政府和其他有关部门应当采取必要措施，及时予以处理。

《特种设备安全法》第六十四条规定：地方各级人民政府负责特种设备安全监督管理的部门不得要求已经依照本法规定在其他地方取得许可的特种设备生产单位重复取得许可，不得要求对已经依照本法规定在其他地方检验合格的特种设备重复进行检验。

《特种设备安全法》第六十五条规定：负责特种设备安全监督管理的部门的安全监察人员应当熟悉相关法律、法规，具有相应的专业知识和工作经验，取得特种设备安全行政执法证件。

特种设备安全监察人员应当忠于职守、坚持原则、秉公执法。

负责特种设备安全监督管理的部门实施安全监督检查时，应当有二名以上特种设备安全监察人员参加，并出示有效的特种设备安全行政执法证件。

《特种设备安全法》第六十六条规定：负责特种设备安全监督管理的部门对特种设备生产、经营、使用单位和检验、检测机构实施监督检查，应当对每次监督检查的内容、发现的问题及处理情况作出记录，并由参加监督检查的特种设备安全监察人员和被检查单位的有关负责人签字后归档。被检查单位的有关负责人拒绝签字的，特种设备安全监察人员应当将情况记录在案。

《特种设备安全法》第六十七条规定：负责特种设备安全监督管理的部门及其工作人员不得推荐或者监制、监销特种设备；对履行职责过程中知悉的商业秘密负有保密义务。

《特种设备安全法》第六十八条规定：国务院负责特种设备安全监督管理的部门和省、自治区、直辖市人民政府负责特种设备安全监督管理的部门应当定期向社会公布特种设备安全总体状况。

1.1.9　事故应急救援与调查处理的相关规定

1. 应急预案的编制与演练

《特种设备安全法》第六十九条规定：国务院负责特种设备安全监督管理的部门应当依法组织制定特种设备重特大事故应急预案，报国务院批准后纳入国家突发事件应急预案体系。

县级以上地方各级人民政府及其负责特种设备安全监督管理的部门应当依法组织制定本行政区域内特种设备事故应急预案，建立或者纳入相应的应急处置与救援体系。

特种设备使用单位应当制定特种设备事故应急专项预案，并定期进行应急演练。

2. 事故处置的规定

《特种设备安全法》第七十条规定：特种设备发生事故后，事故发生单位应当按照应急预案采取措施，组织抢救，防止事故扩大，减少人员伤亡和财产损失，保护事故现场和有关证据，并及时向事故发生地县级以上人民政府负责特种设备安全监督管理的部门和有关部门报告。

县级以上人民政府负责特种设备安全监督管理的部门接到事故报告，应当尽快核实情况，立即向本级人民政府报告，并按照规定逐级上报。必要时，负责特种设备安全监督管理的部门可以越级上报事故情况。对特别重大事故、重大事故，国务院负责特种设备安全监督管理的部门应当立即报告国务院并通报国务院安全生产监督管理部门等有关部门。

与事故相关的单位和人员不得迟报、谎报或者瞒报事故情况，不得隐匿、毁灭有关证据或者故意破坏事故现场。

《特种设备安全法》第七十一条规定：事故发生地人民政府接到事故报告，应当依法启动应急预案，采取应急处置措施，组织应急救援。

3. 事故调查的规定

《特种设备安全法》第七十二条规定：特种设备发生特别重大事故，由国务院或者国务院授权有关部门组织事故调查组进行调查。

发生重大事故，由国务院负责特种设备安全监督管理的部门会同有关部门组织事故调查组进行调查。

发生较大事故，由省、自治区、直辖市人民政府负责特种设备安全监督管理的部门会同有关部门组织事故调查组进行调查。

发生一般事故，由设区的市级人民政府负责特种设备安全监督管理的部门会同有关部门组织事故调查组进行调查。

事故调查组应当依法、独立、公正开展调查，提出事故调查报告。

4. 事故报告及处理的规定

《特种设备安全法》第七十三条规定：组织事故调查的部门应当将事故调查报告报本级人民政府，并报上一级人民政府负责特种设备安全监督管理的部门备案。有关部门和单位应当依照法律、行政法规的规定，追究事故责任单位和人员的责任。

事故责任单位应当依法落实整改措施，预防同类事故发生。事故造成损害的，事故责任单位应当依法承担赔偿责任。

1.1.10　法律责任

1. 生产单位的法律责任

《特种设备安全法》第七十四条规定：违反本法规定，未经许可从事特种设备生产活动的，责令停止生产，没收违法制造的特种设备，处十万元以上五十万元以下罚款；有违法所得的，没收违法所得；已经实施安装、改造、修理的，责令恢复原状或者责令限期由取得许可的单位重新安装、改造、修理。

《特种设备安全法》第七十五条规定：违反本法规定，特种设备的设计文件未经鉴定，擅自用于制造的，责令改正，没收违法制造的特种设备，处五万元以上五十万元以下罚款。

《特种设备安全法》第七十六条规定：违反本法规定，未进行型式试验的，责令限期改正；逾期未改正的，处三万元以上三十万元以下罚款。

《特种设备安全法》第七十七条规定：违反本法规定，特种设备出厂时，未按照安全技术规范的要求随附相关技术资料和文件的，责令限期改正；逾期未改正的，责令停止制造、销售，处二万元以上二十万元以下罚款；有违法所得的，没收违法所得。

《特种设备安全法》第七十八条规定：违反本法规定，特种设备安装、改造、修理的施工单位在施工前未书面告知负责特种设备安全监督管理的部门即行施工的，或者在验收后三十日内未将相关技术资料和文件移交特种设备使用单位的，责令限期改正；逾期未改正的，处一万元以上十万元以下罚款。

《特种设备安全法》第七十九条规定：违反本法规定，特种设备的制造、安装、改造、重大修理以及锅炉清洗过程，未经监督检验的，责令限期改正；逾期未改正的，处五万元以上二十万元以下罚款；有违法所得的，没收违法所得；情节严重的，吊销生产许可证。

《特种设备安全法》第八十一条规定：违反本法规定，特种设备生产单位有下列行为之一的，责令限期改正；逾期未改正的，责令停止生产，处五万元以上五十万元以下罚款；情节严重的，吊销生产许可证：

（1）不再具备生产条件、生产许可证已经过期或者超出许可范围生产的；

（2）明知特种设备存在同一性缺陷，未立即停止生产并召回的。

违反本法规定，特种设备生产单位生产、销售、交付国家明令淘汰的特种设备的，责令停止生产、销售，没收违法生产、销售、交付的特种设备，处三万元以上三十万元以下罚款；有违法所得的，没收违法所得。

特种设备生产单位涂改、倒卖、出租、出借生产许可证的，责令停止生产，处五万元以上五十万元以下罚款；情节严重的，吊销生产许可证。

2. 经营单位的法律责任

《特种设备安全法》第八十二条规定：违反本法规定，特种设备经营单位有下列行为之一的，责令停止经营，没收违法经营的特种设备，处三万元以上三十万元以下罚款；有违法所得的，没收违法所得：

（1）销售、出租未取得许可生产，未经检验或者检验不合格的特种设备的；

（2）销售、出租国家明令淘汰、已经报废的特种设备，或者未按照安全技术规范的要求进行维护保养的特种设备的。

违反本法规定，特种设备销售单位未建立检查验收和销售记录制度，或者进口特种设备未履行提前告知义务的，责令改正，处一万元以上十万元以下罚款。

特种设备生产单位销售、交付未经检验或者检验不合格的特种设备的，依照本条第一款规定处罚；情节严重的，吊销生产许可证。

3. 使用单位的法律责任

《特种设备安全法》第八十三条规定：违反本法规定，特种设备使用单位有下列行为之一的，责令限期改正；逾期未改正的，责令停止使用有关特种设备，处一万元以上十万元以下罚款：

（1）使用特种设备未按照规定办理使用登记的；

（2）未建立特种设备安全技术档案或者安全技术档案不符合规定要求，或者未依法设置使用登记标志、定期检验标志的；

（3）未对其使用的特种设备进行经常性维护保养和定期自行检查，或者未对其使用的特种设备的安全附件、安全保护装置进行定期校验、检修，并作出记录的；

（4）未按照安全技术规范的要求及时申报并接受检验的；

（5）未按照安全技术规范的要求进行锅炉水（介）质处理的；

（6）未制定特种设备事故应急专项预案的。

《特种设备安全法》第八十四条规定：违反本法规定，特种设备使用单位有下列行为之一的，责令停止使用有关特种设备，处三万元以上三十万元以下罚款：

（1）使用未取得许可生产，未经检验或者检验不合格的特种设备，或者国家明令淘汰、已经报废的特种设备的；

（2）特种设备出现故障或者发生异常情况，未对其进行全面检查、消除事故隐患，继续使用的；

（3）特种设备存在严重事故隐患，无改造、修理价值，或者达到安全技术规范规定的其他报废条件，未依法履行报废义务，并办理使用登记证书注销手续的。

《特种设备安全法》第八十五条规定：违反本法规定，移动式压力容器、气瓶充装单位有下列行为之一的，责令改正，处二万元以上二十万元以下罚款；情节严重的，吊销充装许可证：

（1）未按照规定实施充装前后的检查、记录制度的；

（2）对不符合安全技术规范要求的移动式压力容器和气瓶进行充装的。

违反本法规定，未经许可，擅自从事移动式压力容器或者气瓶充装活动的，予以取缔，没收违法充装的气瓶，处十万元以上五十万元以下罚款；有违法所得的，没收违法所得。

《特种设备安全法》第八十六条规定：违反本法规定，特种设备生产、经营、使用单位有下列情形之一的，责令限期改正；逾期未改正的，责令停止使用有关特种设备或者停产停业整顿，处一万元以上五万元以下罚款：

（1）未配备具有相应资格的特种设备安全管理人员、检测人员和作业人员的；

（2）使用未取得相应资格的人员从事特种设备安全管理、检测和作业的；

（3）未对特种设备安全管理人员、检测人员和作业人员进行安全教育和技能培训的。

《特种设备安全法》第八十七条规定：违反本法规定，电梯、客运索道、大型游乐设施的运营使用单位有下列情形之一的，责令限期改正；逾期未改正的，责令停止使用有关特种设备或者停产停业整顿，处二万元以上十万元以下罚款：

（1）未设置特种设备安全管理机构或者配备专职的特种设备安全管理人员的；

（2）客运索道、大型游乐设施每日投入使用前，未进行试运行和例行安全检查，未对安全附件和安全保护装置进行检查确认的；

（3）未将电梯、客运索道、大型游乐设施的安全使用说明、安全注意事项和警示标志置于易于为乘客注意的显著位置的。

《特种设备安全法》第八十八条规定：违反本法规定，未经许可，擅自从事电梯维护保养的，责令停止违法行为，处一万元以上十万元以下罚款；有违法所得的，没收违法所得。

电梯的维护保养单位未按照本法规定以及安全技术规范的要求，进行电梯维护保养的，依照前款规定处罚。

《特种设备安全法》第八十九条规定：发生特种设备事故，有下列情形之一的，对单位处五万元以上二十万元以下罚款；对主要负责人处一万元以上五万元以下罚款；主要负责人属于国家工作人员的，并依法给予处分：

（1）发生特种设备事故时，不立即组织抢救或者在事故调查处理期间擅离职守或者逃匿的；

（2）对特种设备事故迟报、谎报或者瞒报的。

《特种设备安全法》第九十条规定：发生事故，对负有责任的单位除要求其依法承担相应的赔偿等责任外，依照下列规定处以罚款：

（1）发生一般事故，处十万元以上二十万元以下罚款；

（2）发生较大事故，处二十万元以上五十万元以下罚款；

（3）发生重大事故，处五十万元以上二百万元以下罚款。

《特种设备安全法》第九十一条规定：对事故发生负有责任的单位的主要负责人未依法履行职责或者负有领导责任的，依照下列规定处以罚款；属于国家工作人员的，并依法给予处分：

（1）发生一般事故，处上一年年收入百分之三十的罚款；

（2）发生较大事故，处上一年年收入百分之四十的罚款；

（3）发生重大事故，处上一年年收入百分之六十的罚款。

4. 检验检测机构及相关人员的法律责任

《特种设备安全法》第九十二条规定：违反本法规定，特种设备安全管理人员、检测人员和作业人员不履行岗位职责，违反操作规程和有关安全规章制度，造成事故的，吊销相关人员的资格。

《特种设备安全法》第九十三条规定：违反本法规定，特种设备检验、检测机构及其检验、检测人员有下列行为之一的，责令改正，对机构处五万元以上二十万元以下罚款，对直接负责的主管人员和其他直接责任人员处五千元以上五万元以下罚款；情节严重的，吊销机构资质和有关人员的资格：

（1）未经核准或者超出核准范围、使用未取得相应资格的人员从事检验、检测的；

（2）未按照安全技术规范的要求进行检验、检测的；

（3）出具虚假的检验、检测结果和鉴定结论或者检验、检测结果和鉴定结论严重失实的；

（4）发现特种设备存在严重事故隐患，未及时告知相关单位，并立即向负责特种设备安全监督管理的部门报告的；

（5）泄露检验、检测过程中知悉的商业秘密的；

（6）从事有关特种设备的生产、经营活动的；

（7）推荐或者监制、监销特种设备的；

（8）利用检验工作故意刁难相关单位的。

违反本法规定，特种设备检验、检测机构的检验、检测人员同时在两个以上检验、检测机构中执业的，处五千元以上五万元以下罚款；情节严重的，吊销其资格。

5. 监督管理部门及相关人员的法律责任

《特种设备安全法》第九十四条规定：违反本法规定，负责特种设备安全监督管理的部门及其工作人员有下列行为之一的，由上级机关责令改正；对直接负责的主管人员和其他直接责任人员，依法给予处分：

（1）未依照法律、行政法规规定的条件、程序实施许可的；

（2）发现未经许可擅自从事特种设备的生产、使用或者检验、检测活动不予取缔或者不依法予以处理的；

（3）发现特种设备生产单位不再具备本法规定的条件而不吊销其许可证，或者发现特种设备生产、经营、使用违法行为不予查处的；

（4）发现特种设备检验、检测机构不再具备本法规定的条件而不撤销其核准，或者对其出具虚假的检验、检测结果和鉴定结论或者检验、检测结果和鉴定结论严重失实的行为不予查处的；

（5）发现违反本法规定和安全技术规范要求的行为或者特种设备存在事故隐患，不立即处理的；

（6）发现重大违法行为或者特种设备存在严重事故隐患，未及时向上级负责特种设备安全监督管理的部门报告，或者接到报告的负责特种设备安全监督管理的部门不立即处理的；

（7）要求已经依照本法规定在其他地方取得许可的特种设备生产单位重复取得许可，或者要求对已经依照本法规定在其他地方检验合格的特种设备重复进行检验的；

（8）推荐或者监制、监销特种设备的；

（9）泄露履行职责过程中知悉的商业秘密的；

（10）接到特种设备事故报告未立即向本级人民政府报告，并按照规定上报的；

（11）迟报、漏报、谎报或者瞒报事故的；

（12）妨碍事故救援或者事故调查处理的；

（13）其他滥用职权、玩忽职守、徇私舞弊的行为。

6. 其他相关法律责任的规定

《特种设备安全法》第九十五条规定：违反本法规定，特种设备生产、经营、使用单位或者检验、检测机构拒不接受负责特种设备安全监督管理的部门依法实施的监督检查的，责令限期改正；逾期未改正的，责令停产停业整顿，处二万元以上二十万元以下罚款。

特种设备生产、经营、使用单位擅自动用、调换、转移、损毁被查封、扣押的特种设备或者其主要部件的，责令改正，处五万元以上二十万元以下罚款；情节严重的，吊销生产许可证，注销特种设备使用登记证书。

《特种设备安全法》第九十六条规定：违反本法规定，被依法吊销许可证的，自吊销许可证之日起三年内，负责特种设备安全监督管理的部门不予受理其新的许可申请。

《特种设备安全法》第九十七条规定：违反本法规定，造成人身、财产损害的，依法承担民事责任。

违反本法规定，应当承担民事赔偿责任和缴纳罚款、罚金，其财产不足以同时支付时，先承担民事赔偿责任。

《特种设备安全法》第九十八条规定：违反本法规定，构成违反治安管理行为的，依法给予治安管理处罚；构成犯罪的，依法追究刑事责任。

第 2 节　《特种设备目录》（节选）

根据《中华人民共和国特种设备安全法》《特种设备安全监察条例》的规定，国家质量监督检验检疫总局修订了《特种设备目录》，并经国务院批准，于 2014 年 10 月 30 日予以公布施行。同时，《关于公布〈特种设备目录〉的通知》（国质检锅〔2004〕31 号）和《关于增补特种设备目录的通知》（国质检特〔2010〕22 号）予以废止。

新目录对特种设备的种类、类别、品种进行了调整。表 1-1 列出了属于特种设备的施工机械。

属于特种设备的施工机械表

表 1-1

代码	种类	类别	品种
4000	起重机械	起重机械，是指用于垂直升降或者垂直升降并水平移动重物的机电设备，其范围规定为额定起重量大于或者等于 0.5t 的升降机；额定起重量大于或者等于 3t（或额定起重力矩大于或者等于 40t·m 的塔式起重机，或生产率大于或者等于 300t/h 的装卸桥），且提升高度大于或者等于 2m 的起重机；层数大于或者等于 2 层的机械式停车设备	
4100		桥式起重机	
4110			通用桥式起重机
4170			电动单梁起重机
4190			电动葫芦桥式起重机
4200		门式起重机	
4210			通用门式起重机
4270			电动葫芦门式起重机
4290			架桥机
4300		塔式起重机	
4310			普通塔式起重机
4320			电站塔式起重机
4400		流动式起重机	
4410			轮胎起重机
4420			履带起重机
4440			集装箱正面吊运起重机
4450			铁路起重机
4700		门座式起重机	
4710			门座起重机
4760			固定式起重机
4800		升降机	
4860			施工升降机
4870			简易升降机
5000	场（厂）内专用机动车辆	场（厂）内专用机动车辆，是指除道路交通、农用车辆以外仅在工厂厂区、旅游景区、游乐场所等特定区域使用的专用机动车辆	
5100		机动工业车辆	
5110			叉车

属于特种设备的施工机械,除执行施工机械的管理规定外,还必须执行特种设备管理规定。

第 3 节　《特种设备事故隐患分类分级》(节选)

《特种设备事故隐患分类分级》T/CPASE GT 008—2019 是中国特种设备安全与节能促进会颁发的团体标准,于 2019 年 12 月 31 日发布,自 2020 年 5 月 1 日起实施。本标准规定了特种设备事故隐患目录及其分类分级的方法,适用于对特种设备使用过程中的事故隐患进行分类和分级。

1.3.1　特种设备事故隐患的定义

特种设备事故隐患是指特种设备使用单位违反相关法律、法规、规章、安全技术规范、标准、风险管控和特种设备管理制度的行为;或者风险管控缺失、失效;或者因其他因素导致在特种设备使用中存在可能引发事故的设备不安全状态、人的不安全行为、管理和环境上的缺陷等。

1.3.2　特种设备事故隐患分类分级

1. 特种设备事故隐患分类

特种设备事故隐患分为管理类隐患、人员类隐患、设备类隐患、环境类隐患 4 个类别:

(1) 因管理缺失所产生的隐患为管理类隐患(代号:G);

(2) 因人员自身或人为因素所产生的隐患为人员类隐患(代号:R);

(3) 因特种设备及其安全附件、安全保护装置缺陷、缺失或失效所导致的隐患为设备类隐患(代号:S);

(4) 因特种设备使用环境变化所导致的隐患为环境类隐患(代号:H)。

2. 特种设备事故隐患分级

特种设备事故隐患按隐患严重程度分为严重事故隐患、较大事故隐患、一般事故隐患 3 个级别。

存在下列情况之一的为严重事故隐患:

(1) 违反特种设备法律、法规,应依法责令改正并处罚款的行为;

(2) 违反特种设备安全技术规范及相关标准,可能导致重大和特别重大事故的隐患;

(3) 风险管控缺失、失效,可能导致重大和特别重大事故的隐患;

(4) 危害和整改难度较大,应当全部或者局部停产停业,并经过一定时间整改治理方能排除的隐患;

(5) 因外部因素影响致使使用单位自身难以排除的隐患。

存在下列情况之一的为较大事故隐患:

(1) 违反特种设备法律、法规,特种设备安全监管部门依法责令限期改正,逾期未改的,责令停产停业整顿并处罚款行为;

(2) 违反特种设备安全技术规范及相关标准,可能导致较大事故的隐患;

(3) 风险管控缺失或失效,可能导致较大事故的隐患。

除严重、较大事故隐患外的其他特种设备事故隐患，均为一般事故隐患。

1.3.3　特种设备事故隐患目录

本标准给出了特种设备严重事故隐患（表1-2）、较大事故隐患目录（表1-3）及其分类分级。

特种设备严重事故隐患　　　　　　　　　　　　　　　　　　　表1-2

序号	隐患类别	隐患目录
1	设备类（S）	在用的特种设备是未取得许可进行设计、制造、安装、改造、重大修理的
2		在用的特种设备是未经检验或检验不合格的（使用资料不符合安全技术规范导致检验不合格的电梯除外）
3		在用的特种设备是国家明令淘汰的
4		在用的特种设备是已经报废的
5		在用特种设备存在必须停用修理的超标缺陷
6		特种设备存在严重事故隐患无改造、修理价值，或者达到安全技术规范规定的其他报废条件，未依法履行报废义务，并办理使用登记证书注销手续的
7		在用特种设备超过规定参数、使用范围使用的
8		特种设备或者其主要部件不符合安全技术规范，包括安全附件、安全保护装置等缺少、失效或失灵
9		将非承压锅炉、非压力容器作为承压锅炉、压力容器使用或热水锅炉改为蒸汽锅炉使用的
10		在用特种设备是已被召回的（含生产单位主动召回、政府相关部门强制召回）
11	管理类（G）	特种设备出现故障或者发生异常情况，未对其进行全面检查、消除事故隐患，继续使用的
12		使用被责令整改而未予整改的特种设备
13		特种设备发生事故不予报告而继续使用的
14		未经许可，擅自从事移动式压力容器或者气瓶充装活动的
15		对不符合安全技术规范要求的移动式压力容器和气瓶进行充装的
16		气瓶、移动式压力容器充装单位未按照规定实施充装前后检查的
17		电梯使用单位委托不具备资质的单位承担电梯维护保养工作的

注：1. 由环境因素导致的上述隐患也可归为环境类隐患；
　　2. 其他环境类隐患的目录和级别，可由使用单位、监管部门根据其危害程度确定。

特种设备较大事故隐患　　　　　　　　　　　　　　　　　　　表1-3

序号	隐患类别	隐患目录
1	设备类（S）	气瓶、移动式压力容器充装用计量器具的选型、规格及检定不符合有关安全技术规范及相应标准规定
2		电梯轿厢的装修不符合电梯安全技术规范及相关标准要求

续表

序号	隐患类别	隐患目录
3		在用特种设备未按照规定办理使用登记
4		未建立特种设备安全技术档案或者安全技术档案不符合规定要求
5		未配备特种设备安全管理负责人；未建立岗位责任、隐患治理等管理制度和操作规程；未制定特种设备事故应急专项预案，并定期进行应急演练
6		未依法设置特种设备使用标志
7		未对使用的特种设备进行经常性维护保养和定期自行检查，或者未对使用的特种设备的安全附件、安全保护装置等进行定期校验、检修，并作出记录
8		未按照安全技术规范的要求及时申报并接受检验
9	管理类（G）	特种设备运营使用单位未按规定设置特种设备安全管理机构，配备专职或兼职的特种设备安全管理人员
10		气瓶、移动式压力容器充装前后检查无记录
11		客运索道、大型游乐设施每日投入使用前，未进行试运行和例行安全检查，未对安全附件和安全保护装置进行检查确认
12		未将电梯、客运索道、大型游乐设施、机械式停车设备等的安全使用说明、安全注意事项和警示标志置于易于为使用者注意的显著位置
13		未按照安全技术规范的要求进行锅炉水（介）质处理
14		对安全状况等级为 3 级压力管道、4 级固定式压力容器和检验结论为基本符合要求的锅炉未制定监控措施或措施不到位仍在使用
15	人员类（R）	特种设备管理人员、作业人员等无证上岗
16		特种设备管理人员、作业人员未经安全教育和技能培训
17		管理人员、作业人员违反操作规程

注：1. 由环境因素导致的上述隐患也可归为环境类隐患；
　　2. 其他环境类隐患的目录和级别，可由使用单位、监管部门根据其危害程度确定。

第 4 节　《生产安全事故应急预案管理办法》（节选）

2019 年 6 月 24 日，《应急管理部关于修改〈生产安全事故应急预案管理办法〉的决定》经应急管理部第 20 次部务会议审议通过，自 2019 年 9 月 1 日起施行。

1.4.1　应急预案的分类

应急预案分为综合应急预案、专项应急预案和现场处置方案。

（1）综合应急预案是指生产经营单位为应对各种生产安全事故而制定的综合性工作方案，是本单位应对生产安全事故的总体工作程序、措施和应急预案体系的总纲。

（2）专项应急预案是指生产经营单位为应对某一种或者多种类型生产安全事故，或者针对重要生产设施、重大危险源、重大活动防止生产安全事故而制定的专项性工作方案。

（3）现场处置方案是指生产经营单位根据不同生产安全事故类型，针对具体场所、装置或者设施所制定的应急处置措施。

1.4.2　应急预案的编制

1. 应急预案编制原则

应急预案的编制应当遵循以人为本、依法依规、符合实际、注重实效的原则，以应急处置为核心，明确应急职责，规范应急程序，细化保障措施。

2. 应急预案编制基本要求

应急预案的编制应当符合下列基本要求：

（1）有关法律、法规、规章和标准的规定；

（2）本地区、本部门、本单位的安全生产实际情况；

（3）本地区、本部门、本单位的危险性分析情况；

（4）应急组织和人员的职责分工明确，并有具体的落实措施；

（5）有明确、具体的应急程序和处置措施，并与其应急能力相适应；

（6）有明确的应急保障措施，满足本地区、本部门、本单位的应急工作需要；

（7）应急预案基本要素齐全、完整，应急预案附件提供的信息准确；

（8）应急预案内容与相关应急预案相互衔接。

3. 应急预案编制工作小组

编制应急预案应当成立编制工作小组，由本单位有关负责人任组长，吸收与应急预案有关的职能部门和单位的人员，以及有现场处置经验的人员参加。

4. 应急预案编制准备

编制应急预案前，编制单位应当进行事故风险辨识、评估和应急资源调查。

（1）事故风险辨识、评估是指针对不同事故种类及特点，识别存在的危险危害因素，分析事故可能产生的直接后果以及次生、衍生后果，评估各种后果的危害程度和影响范围，提出防范和控制事故风险措施的过程。

（2）应急资源调查是指全面调查本地区、本单位第一时间可以调用的应急资源状况和合作区域内可以请求援助的应急资源状况，并结合事故风险辨识评估结论、制定应急措施的过程。

5. 应急预案编制

（1）生产经营单位应当根据有关法律、法规、规章和相关标准，结合本单位组织管理体系、生产规模和可能发生的事故特点，与相关预案保持衔接，确立本单位的应急预案体系，编制相应的应急预案，并体现自救互救和先期处置等特点。

（2）生产经营单位风险种类多、可能发生多种类型事故的，应当组织编制综合应急预案。综合应急预案应当规定应急组织机构及其职责、应急预案体系、事故风险描述、预警及信息报告、应急响应、保障措施、应急预案管理等内容。

（3）对于某一种或者多种类型的事故风险，生产经营单位可以编制相应的专项应急预案，或将专项应急预案并入综合应急预案。专项应急预案应当规定应急指挥机构与职责、处置程序和措施等内容。

（4）对于危险性较大的场所、装置或者设施，生产经营单位应当编制现场处置方案。现场处置方案应当规定应急工作职责、应急处置措施和注意事项等内容。事故风险单一、危险性小的生产经营单位，可以只编制现场处置方案。

（5）生产经营单位应急预案应当包括向上级应急管理机构报告的内容、应急组织机构和人员的联系方式、应急物资储备清单等附件信息。附件信息发生变化时，应当及时更新，确保准确有效。

（6）生产经营单位组织应急预案编制过程中，应当根据法律、法规、规章的规定或者实际需要，征求相关应急救援队伍、公民、法人或者其他组织的意见。

（7）生产经营单位编制的各类应急预案之间应当相互衔接，并与相关人民政府及其部门、应急救援队伍和涉及的其他单位的应急预案相衔接。

（8）生产经营单位应当在编制应急预案的基础上，针对工作场所、岗位的特点，编制简明、实用、有效的应急处置卡。应急处置卡应当规定重点岗位、人员的应急处置程序和措施，以及相关联络人员和联系方式，便于从业人员携带。

1.4.3　应急预案的评审、公布和备案

1. 应急预案的评审

（1）矿山、金属冶炼企业和易燃易爆物品、危险化学品的生产、经营（带储存设施的，下同）、储存、运输企业，以及使用危险化学品达到国家规定数量的化工企业、烟花爆竹生产、批发经营企业和中型规模以上的其他生产经营单位，应当对本单位编制的应急预案进行评审，并形成书面评审纪要。前款规定以外的其他生产经营单位可以根据自身需要，对本单位编制的应急预案进行论证。

（2）参加应急预案评审的人员应当包括有关安全生产及应急管理方面的专家。评审人员与所评审应急预案的生产经营单位有利害关系的，应当回避。

（3）应急预案的评审或者论证应当注重基本要素的完整性、组织体系的合理性、应急处置程序和措施的针对性、应急保障措施的可行性、应急预案的衔接性等内容。

2. 应急预案的公布

生产经营单位的应急预案经评审或者论证后，由本单位主要负责人签署，向本单位从业人员公布，并及时发放到本单位有关部门、岗位和相关应急救援队伍。事故风险可能影响周边其他单位、人员的，生产经营单位应当将有关事故风险的性质、影响范围和应急防范措施告知周边的其他单位和人员。

3. 应急预案的备案

（1）易燃易爆物品、危险化学品等危险物品的生产、经营、储存、运输单位，矿山、金属冶炼、城市轨道交通运营、建筑施工单位，以及宾馆、商场、娱乐场所、旅游景区等人员密集场所经营单位，应当在应急预案公布之日起 20 个工作日内，按照分级属地原则，向县级以上人民政府应急管理部门和其他负有安全生产监督管理职责的部门进行备案，并依法向社会公布。

前款所列单位属于中央企业的，其总部（上市公司）的应急预案，报国务院主管的负有安全生产监督管理职责的部门备案，并抄送应急管理部；其所属单位的应急预案报所在地的省、自治区、直辖市或者设区的市级人民政府主管的负有安全生产监督管理职责的部门备案，并抄送同级人民政府应急管理部门。

所列单位不属于中央企业的，其中非煤矿山、金属冶炼和危险化学品生产、经营、储存、运输企业，以及使用危险化学品达到国家规定数量的化工企业、烟花爆竹生产、批发经营企业的应急预案，按照隶属关系报所在地县级以上地方人民政府应急管理部门备案；本款前述单位以外的其他生产经营单位应急预案的备案，由省、自治区、直辖市人民政府

负有安全生产监督管理职责的部门确定。

油气输送管道运营单位的应急预案，除按照前述的规定备案外，还应当抄送所经行政区域的县级人民政府应急管理部门。

海洋石油开采企业的应急预案，除按照前述的规定备案外，还应当抄送所经行政区域的县级人民政府应急管理部门和海洋石油安全监管机构。

煤矿企业的应急预案除按照前述的规定备案外，还应当抄送所在地的煤矿安全监察机构。

（2）生产经营单位申报应急预案备案，应当提交下列材料：

1）应急预案备案申报表；

2）矿山、金属冶炼企业和易燃易爆物品、危险化学品的生产、经营、储存、运输企业，以及使用危险化学品达到国家规定数量的化工企业、烟花爆竹生产、批发经营企业和中型规模以上的其他生产经营单位，应当提供应急预案评审意见；

3）应急预案电子文档；

4）风险评估结果和应急资源调查清单。

（3）受理备案登记的负有安全生产监督管理职责的部门应当在5个工作日内对应急预案材料进行核对，材料齐全的，应当予以备案并出具应急预案备案登记表；材料不齐全的，不予备案并一次性告知需要补齐的材料。逾期不予备案又不说明理由的，视为已经备案。对于实行安全生产许可的生产经营单位，已经进行应急预案备案的，在申请安全生产许可证时，可以不提供相应的应急预案，仅提供应急预案备案登记表。

1.4.4　应急预案的实施

（1）生产经营单位应当组织开展本单位的应急预案、应急知识、自救互救和避险逃生技能的培训活动，使有关人员了解应急预案内容，熟悉应急职责、应急处置程序和措施。应急培训的时间、地点、内容、师资、参加人员和考核结果等情况应当如实记入本单位的安全生产教育和培训档案。

（2）生产经营单位应当制定本单位的应急预案演练计划，根据本单位的事故风险特点，每年至少组织一次综合应急预案演练或者专项应急预案演练，每半年至少组织一次现场处置方案演练。

易燃易爆物品、危险化学品等危险物品的生产、经营、储存、运输单位，矿山、金属冶炼、城市轨道交通运营、建筑施工单位，以及宾馆、商场、娱乐场所、旅游景区等人员密集场所经营单位，应当至少每半年组织一次生产安全事故应急预案演练，并将演练情况报送所在地县级以上地方人民政府负有安全生产监督管理职责的部门。

（3）应急预案演练结束后，应急预案演练组织单位应当对应急预案演练效果进行评估，撰写应急预案演练评估报告，分析存在的问题，并对应急预案提出修订意见。

（4）应急预案编制单位应当建立应急预案定期评估制度，对预案内容的针对性和实用性进行分析，并对应急预案是否需要修订作出结论。

矿山、金属冶炼、建筑施工企业和易燃易爆物品、危险化学品等危险物品的生产、经营、储存、运输企业，使用危险化学品达到国家规定数量的化工企业、烟花爆竹生产、批发经营企业和中型规模以上的其他生产经营单位，应当每三年进行一次应急预案评估。

应急预案评估可以邀请相关专业机构或者有关专家、有实际应急救援工作经验的人员参加，必要时可以委托安全生产技术服务机构实施。

（5）有下列情形之一的，应急预案应当及时修订并归档：

1）依据的法律、法规、规章、标准及上位预案中的有关规定发生重大变化的；

2）应急指挥机构及其职责发生调整的；

3）安全生产面临的风险发生重大变化的；

4）重要应急资源发生重大变化的；

5）在应急演练和事故应急救援中发现需要修订预案的重大问题的；

6）编制单位认为应当修订的其他情况。

（6）应急预案修订涉及组织指挥体系与职责、应急处置程序、主要处置措施、应急响应分级等内容变更的，修订工作应当参照本办法规定的应急预案编制程序进行，并按照有关应急预案报备程序重新备案。

（7）生产经营单位应当按照应急预案的规定，落实应急指挥体系、应急救援队伍、应急物资及装备，建立应急物资、装备配备及其使用档案，并对应急物资、装备进行定期检测和维护，使其处于适用状态。

（8）生产经营单位发生事故时，应当第一时间启动应急响应，组织有关力量进行救援，并按照规定将事故信息及应急响应启动情况报告事故发生地县级以上人民政府应急管理部门和其他负有安全生产监督管理职责的部门。

（9）生产安全事故应急处置和应急救援结束后，事故发生单位应当对应急预案实施情况进行总结评估。

1.4.5　法律责任

（1）生产经营单位有下列情形之一的，由县级以上人民政府应急管理等部门依照《中华人民共和国安全生产法》第九十四条规定，责令限期改正，可以处 5 万元以下罚款；逾期未改正的，责令停产停业整顿，并处 5 万元以上 10 万元以下的罚款，对直接负责的主管人员和其他直接责任人员处 1 万元以上 2 万元以下的罚款：

1）未按照规定编制应急预案的；

2）未按照规定定期组织应急预案演练的。

（2）生产经营单位有下列情形之一的，由县级以上人民政府应急管理部门责令限期改正，可以处 1 万元以上 3 万元以下的罚款：

1）在应急预案编制前未按照规定开展风险辨识、评估和应急资源调查的；

2）未按照规定开展应急预案评审的；

3）事故风险可能影响周边单位、人员的，未将事故风险的性质、影响范围和应急防范措施告知周边单位和人员的；

4）未按照规定开展应急预案评估的；

5）未按照规定进行应急预案修订的；

6）未落实应急预案规定的应急物资及装备的。

生产经营单位未按照规定进行应急预案备案的，由县级以上人民政府应急管理等部门依照职责责令限期改正；逾期未改正的，处 3 万元以上 5 万元以下的罚款，对直接负责的主管人员和其他直接责任人员处 1 万元以上 2 万元以下的罚款。

第 2 章 新标准、新规范

第 1 节 《施工现场机械设备检查技术规范》 JGJ 160—2016（节选）

2.1.1 概述

本规范的主要技术内容是：（1）总则；（2）术语；（3）基本规定；（4）动力设备；（5）土方及筑路机械；（6）桩工机械；（7）起重机械；（8）高空作业设备；（9）混凝土机械；（10）焊接机械；（11）钢筋加工机械；（12）木工机械；（13）砂浆机械；（14）非开挖机械。

与《施工现场机械设备检查技术规程》 JGJ 160—2008 相比，本规范修订的主要技术内容是：将原标准的框架作了局部调整；新增机械种类有：挖掘装载机、液压破碎锤、沥青洒布车、打夯机、洒水车、铣刨机、水泥混凝土滑模摊铺机、全套管钻机、旋挖钻机、深层搅拌机、自行式高空作业平台、混凝土振捣器、混凝土布料机（杆）、混凝土真空吸水机、氩弧焊机、数控钢筋弯箍机、钢筋笼自动焊接机、木工圆盘锯、砂浆搅拌机、砂浆输送泵、砂浆喷射机组、砂浆抹光机、顶管机等。

与《施工现场机械设备检查技术规程》 JGJ 160—2008 相比，本规范的强制性条文大幅减少。由原来的 20 条，减少为 1 条。

2.1.2 重点条文解读

本节对规范中的重点条文进行解读，为便于理解，此处仍采用原规范的序号。

1. 总则

1.0.4 施工现场机械设备的检查除应符合本规范外，尚应符合国家现行有关标准的规定。

解读：施工现场机械设备的种类相当多，本规范并没有全部列出。施工现场机械设备检查已有国家标准规范及规定，为避免重复，本规范进行了选择性删减。因此，施工现场机械设备检查除执行本规范外，相关的国家标准规范及规定，均必须遵照执行。

3. 基本规定

3.0.6 机械设备用电应符合现行行业标准《施工现场临时用电安全技术规范》 JGJ 46 的有关规定。

解读：本条要求机械设备的临时用电应符合现行行业标准《施工现场临时用电安全技术规范》 JGJ 46 的要求。认真执行规范中体现的三项基本安全技术原则（①采用三级配电系统；②采用 TN-S 接零保护系统；③采用漏电保护系统），是保障用电安全、防止触电和电气火灾事故的重要技术措施。

4. 动力设备

4.1 柴油发电机组

4.1.2 柴油发电机组应高出室内地面 0.25～0.30m。移动式柴油发电机组应处于水平状态，放置稳固，其拖车应可靠接地，前后轮应固定。室外使用的柴油发电机组应搭设防护棚。

解读：固定式柴油发电机，工作中产生振动和冲击，安装时需要放置平稳、固定良好；为防止发电机绝缘损坏导致人员触电，应采取拖车接地措施；接零可单独设临时接地极，也可接到埋设在地下无可燃性气体或无爆炸物质的金属管道上，以及与大地有可靠连接的建筑物的金属构架上。

4.1.3　柴油发电机组及其控制、配电、修理室等的设置应满足电气安全距离和防火要求；排烟管道应伸出室外，且严禁在室内存放储油桶。

解读：排烟管应伸出室外，将汽缸内的废气排出，减少排烟系统的背压，降低废气阻力和温度，提高柴油机的工作效率和工作性能；同时，确保发电机组具有良好的工作环境，应保证操作人员的安全和减少对建筑物外观的影响及对周围环境的污染。

严禁在室内存放储油桶。主要原因是：由于室内温度很高，尤其在排烟管道（一般为350～550℃）附近，使存放的储油桶内达到燃点而引起火灾和爆炸。

4.1.5　柴油发电机组严禁与外电线路并列运行，且应采取电气隔离措施与外电线路互锁。当两台及以上发电机组并列运行时，必须装设同步装置，且应在机组同步后再向负载供电。

解读：本条为强制性条文。对发电机组电源与外电源线路的电气隔离措施及保证发电机组不致因与外电线路并列运行而发生倒送电烧毁事故所作出的规定。发电机组电源与外电源线路并列运行会发生倒送电烧毁事故，因此要采用电气隔离措施和互锁装置，保证发电机组与外电线路不并列运行。当两台及以上发电机组并列运行时，同步装置保证多台发电机组所发电流频率一致。

4.1.7　柴油机应符合下列规定：

（1）柴油机启动、加速性能应良好，怠速应平稳；

（2）运转不应有异响，水温、仪表指示数据应准确，并应符合使用说明书的规定；

（3）柴油机曲轴箱内机油量宜在机油尺上、下刻度中间稍上位置；

（4）空气、机油、柴油滤清器应保持清洁，更换滤芯的时间应按使用说明书要求执行；

（5）水箱应定期清洗，水箱内外应清洁；

（6）当水温超过规定值时，节温装置应能自动打开；

（7）风扇皮带松紧应适度；

（8）电气线路和油管管路应排列整齐、卡固牢靠；

（9）柴油机地脚螺栓不应松动和缺损；

（10）柴油机负荷调节器配备应合理。

解读：本条是对柴油机的通用技术要求。发动机在运行过程中，司机应经常目视机油压力表，发现不正常时，应立即停机检查，待故障排除后，方可再行启动；否则会造成严重的机械事故。

每日例保时，司机应检查机油尺所示机油量；油量过少会导致机油压力低，发动机因得不到良好润滑而发生机械事故；油量过多会导致串油，发动机冒蓝烟，造成输出功率下降；曲轴箱内机油超出机油尺上刻度会导致排气管喷出机油。

发动机的节温器是保持发动机水温的一种装置，当气温达不到80℃时，节温器关闭；当水温超过80℃时，节温器打开，发动机水套内的水流向散热器，散热器开始散热，以保持发动机正常运转。

4.1.8　电气系统应符合下列规定：

（1）柴油发电机组应采用电源中性点直接接地的三相四线制供电系统和独立设置的与原供电系统一致的接零保护系统，接地体（线）连接应正确、牢固，接地装置敷设应符合现行行业标准《施工现场临时用电安全技术规范》JGJ 46的规定；

（2）柴油发电机组配电线路连接后，两端的相序应与原供电系统的相序一致；

（3）柴油发电机组至低压配电装置配电线路的相间、相地间的绝缘应良好，且绝缘电阻值应大于0.5MΩ；

（4）励磁调压、灭弧装置和继电保护装置应齐全、可靠；

（5）供电系统应设置电源隔离开关及短路、过载和漏电保护电器；电源隔离开关分断时应有明显可见的分断点。

解读：本条对柴油发电机组的接地形式作出了规定，应符合现行行业标准《施工现场临时用电安全技术规范》JGJ 46的规定，其中，单台容量超过100kVA或使用同一接地装置并联运行且总容量超过100kVA的发电机的工作接地电阻值不应大于4Ω；单台容量不超过100kVA或使用同一接地装置并联运行且总容量不超过100kVA的电力变压器或发电机的工作接地电阻值不应大于10Ω；在土壤电阻率大于1000Ω·m的地区，当达到上述接地电阻值有困难时，工作接地电阻值可提高到30Ω。

核准相序是两个电源向同一供电系统供电的必经手续，相序一致才能确保用电设备的性能和安全，应符合现行国家标准《建筑电气工程施工质量验收规范》GB 50303的规定。

在供电系统设置电源隔离开关及短路、过载、漏电保护器是为了强调适应施工用电工程的需要，应符合现行行业标准《施工现场临时用电安全技术规范》JGJ 46的规定。

5. 土方及筑路机械

5.1　一般规定

5.1.3　传动系统应符合下列规定：

（1）液力变矩器工作时不应有过热，传递动力应平稳有效；滤清器清洁；各连接部分应密封良好，不应漏油；

（2）变速器挡位应准确、定位可靠，工作时不应有异响；

（3）变速箱不应有渗漏；润滑油油面应达到油位检查孔标线；

（4）转向盘的自由行程应符合使用说明书规定，转动及回位应灵活、准确；

（5）各部传到齿轮啮合应良好、运转平稳，不应有异响。

解读：风扇皮带松、油冷却器堵塞、内泄过大及齿轮泵的过度磨损造成循环流量不足等都是液力变矩器产生过热的原因，当发现有上述故障之一时应予排除，才能保证传递动力平稳有效。

齿轮磨损过度、变速杆及前进倒退杆定位装置弹簧弹力不足，调整不当，是造成变速器跳挡的主要原因；轴承、齿轮、花键轴磨损过度，伞齿间隙不当，润滑油不足或过稀，会造成变速器异响；当发生上述现象时，应停机检查，排除故障后再开机。

5.2　推土机

5.2.6　刀角、刀片磨损不应超限；螺栓应紧固。

解读：刀角、刀片磨损过度，机械工作效率下降，严重时将使基板磨损，无法安装新刀角、刀片，造成基板报废；使用中应注意检查，防止刀角、刀片磨损超限。

5.3　履带式单斗液压挖掘机

5.3.3　工作装置动作速度应正常，工作装置液压缸活塞杆的下沉量不应大于100mm/h。

解读：本条符合现行国家标准《土方机械　液压挖掘机　技术条件》GB/T 9139 的规定。液压泵及油缸内泄严重、安全阀压力过低、液压油油量不足、油箱滤油器堵塞等是造成液压缸活塞杆下降量过大的主要原因，并将造成挖掘机工作装置动作速度缓慢，液压缸提升负载困难，生产效率下降；当发现上述故障时，操作者一般不宜自行排除，应由专业人员或厂家维修。

5.4　光轮压路机

5.4.2　传动系统应符合下列规定：

（1）主离合器接合应平稳、分离彻底，传递动力应有效；

（2）变速器挡位应准确、定位可靠，不应有跳挡现象；变速器工作时不应有异响；

（3）差速连锁装置应能克服单一后轮打滑；

（4）变速箱不应有渗漏；变速箱齿轮油油面应达到油位标记位置；

（5）侧传动运转应平稳，不应有冲击，齿轮润滑应良好。

解读：当发现主离合器分离不彻底、传递动力失效时，应查明是否有下列情况：主离合器压板与摩擦片表面有油污；压板与摩擦片接触不均匀；摩擦片过度磨损；压板弹簧弹力不足及离合器摩擦面未全面接触等。

5.9　轮胎式装载机

5.9.5　制动及安全装置应符合下列规定：

（1）制动应可靠有效；制动块和制动盘应清洁，不应有油污；制动踏板行程应符合使用说明书规定；

（2）制动液型号、规格应符合使用说明书规定；制动液液位应在标记位置；

（3）驻车制动摩擦片不应有油污和烧伤，驻车制动应可靠有效；

（4）空气压缩机运转应正常，气压调节阀工作应正常；当系统压力超过规定值时，安全阀应能自动打开；

（5）制动总泵、分泵及连接管路不应有漏气和漏油。

解读：装载机在使用过程中，经常会出现制动力不足现象，其主要原因有：制动器衬块磨损过度或有油污、气压过低、助力器皮碗磨损、制动阀的排气阀漏气、进气阀进气迟缓、制动液压管漏洞、制动液压管路中有空气、刹车油量不足、制动总泵进油孔堵塞等；操作人员应能辨别具体原因，及时排除故障，消除安全隐患。

5.12　沥青混凝土搅拌设备

5.12.3　烘干系统应符合下列规定：

（1）干燥滚筒不应有变形，旋转应平稳，倾角应符合使用说明书规定；

（2）主摩擦轮与干燥滚筒圈表面应清洁，不应有油污；

（3）干燥滚筒内翻料槽应齐全完整；

（4）减速机运转不应有异响；润滑油油面应达到油位标记高度；

（5）燃烧器应清洁，燃油消耗率应在使用说明书规定的范围内；

（6）燃烧器喷嘴应清洁，燃油雾化应良好，燃烧应充分；

（7）点火喷嘴安装角度应符合说明书规定，电磁阀应完好，点火系统工作应正常，系统不应有漏油；

（8）燃油泵、流量计、减压阀、过滤器、压力表、流量控制阀、油管等应完好；燃油供给系统工作应正常，系统不应有泄漏；

（9）空气压缩机、空气滤清器、电磁阀、减压阀、压力继电器、气管等应完好；空气供给系统工作应正常；

（10）供油量、供气量调整装置应完好有效。

解读：干燥滚筒的倾角达到所要求的角度时，可保证设备产生最大热效率和最大生产率；设备经过一段时间的运转，其倾角会发生一定的变化，应定期检查，及时调整。燃烧器工作过程中燃烧介质与空气的比例应匹配合理；如供气量过大或供油不足，则出料温度不够；如供油量过大而供气量不足时，则燃烧火焰发红，除尘烟筒冒黑烟；故操作者应视情况经常调整供油量和供气量，使其配合比合理。

6. 桩工机械

6.2　履带式打桩架（三支点式）

6.2.2　桩架立柱导向管磨损量不宜超过 2mm，导向抱板与桩架立柱导向管的配合间隙应小于 7mm。

解读：对立柱导向管磨损量和导向管与抱板配合间隙作出规定，一是保证落锤的垂直度，在跳动中不严重晃动；二是确保工作装置不从桩架上分离坠落而发生事故。因此，当配合间隙超过规定时应及时更换抱板（或导向管）。

6.2.11　电磁阀制动开关应灵敏可靠，制动性能应良好。

解读：关闭电磁阀制动开关，桩锤应停止在任何高度；操作者应经常检查其可靠性，以防止操作失误引起桩锤坠落事故。

7. 起重机械

7.1.1　起重机械作业报警装置应完整有效。

解读：起重机械上装设的作业报警装置是用于提醒、警示操作人员及周边作业人员注意的安全装置。该装置包括灯光及声音报警，具体要求见现行国家标准《起重机械安全规程　第 1 部分：总则》GB 6067.1。使用人员应在每班作业前检查其有效性。

7.1.2　起重机械危险部位的安全标志应清晰、醒目、无脱落。

解读：本条是依据国家标准《起重机　安全标志和危险图形符号　总则》GB 15052—2010 的要求完善细化的。起重机械上危险部位的安全标志用于警示人员在接近或进行有关操作时应注意的潜在危险，应至少每年（流动式起重机）或每次安全架设前（流动式起重机外的其他起重机）进行一次检查，对脱落或不清晰的标志应及时进行维护。

7.1.3　起重机械的任何部位与架空输电线之间的最小距离不得小于表 2-1 的规定。

起重机械与架空输电线间的最小距离　　　　表 2-1

电压（kV）	<1	1~20	35~110	154	220	330
最小距离（m）	1.5	2.0	4.0	5.0	6.0	7.0

解读：为防止触电，要求起重机械架设后〔塔式起重机、施工升降机、物料提升机、桅杆起重机架设（含加高）完毕，履带起重机行走到位，轮胎起重机、汽车起重机臂架全伸〕的固定部件、运动零部件（含吊载）运动全程内任意位置与架空输电线之间任意方向的最小距离不得小于上述表 2-1 的规定。遇特殊情况，需采取安全措施，如采用足够强度的绝缘材料对架空输电线进行围护，调整相应运动的行程限制，利用符合现行行业标准《建筑塔式起重机安全监控系统应用技术规程》JGJ 332 规定的安全监控系统中的单机工作区域限制功能等措施。

7.7　施工升降机

7.7.4　应按规定搭设人员到达围栏门的安全防护棚。

解读：为防止作业人员进出升降机吊笼时被高空坠物伤害，要求搭设人员到达围栏门的防护棚。该防护棚的宽度、高度及强度应符合现行行业标准《龙门架及井架物料提升机安全技术规范》JGJ 88 的要求。

7.7.14　安全防护装置必须齐全，工作应可靠有效。

解读：为确保防坠装置能在吊笼意外坠落时将吊笼制停在导轨上，按现行国家标准《货用施工升降机　第 1 部分：运载装置可进人的升降机》GB 10054.1 的规定，防坠装置必须定期进行标定，标定有效期不得超过 1 年，防坠装置装机后及使用中每 3 个月均应进行坠落试验验证，且防坠装置动作后应同时切断驱动控制电源。

7.9　物料提升机

7.9.2　严禁使用倒顺开关作为物料提升机卷扬机的控制开关。

解读：倒顺开关触点易被烧坏，有时还会产生误动作进而发生事故，因此，作出本条规定。

8. 高空作业设备

8.2　高处作业吊篮

8.2.1　悬挂机构应符合下列规定：

（1）定位应正确，悬挂吊篮的支架支撑点各工况的荷载最大值不应大于建筑结构的承载能力；

（2）配重块数量应符合使用说明书的规定，码放应整齐，并应有防挪移措施。

解读：吊篮靠配重起平衡作用。配重一般装在楼顶，如其数量缺少，则会带来不平稳，容易发生事故，所以配重数量应符合规定。因配重为块状形，容易散失，为了防盗，配重块应锁死，且每次作业前应对配重进行检查。

8.4　自行式高空作业平台

8.4.1　各种警示、警告、操作标识、标牌等应齐全并清晰。

解读：本条提出了对产品的各种安全标识和警告标识的检查。设备使用、操作过程中，各种警告标识对使用者和周边人员具有重要的作用。如果缺失，需要补充完整。根据国家标准《移动式升降工作平台　设计计算、安全要求和测试方法》GB 25849—2010 中

第7.3节的规定，标牌中包含了额定载重量、最大允许风速、底盘最大倾斜角度等和设备安全相关的重要信息。

8.4.2　各类自行式高空作业平台的喇叭、汽笛、警示灯等信号装置应信号清晰，机油、液压油、燃油、蓄电池电解液等不应有渗漏现象。

解读：本条提出对信号装置的检查和升降平台基本外观的检查。信号装置用于在设备操作过程中发出警示声、光，以警示其他作业人员。由于升降平台的作业高度可以达到数十米，从平台中，不便对地面的其他作业人员进行观察和警示，所以需要保证装置的完好性与清晰性。

8.4.3　移动式升降作业平台的力矩限制器、荷载限制器、倾斜报警装置以及各种行程限位开关等安全保护装置应完好齐全，灵敏可靠，不得随意调整或拆除。

解读：本条中规定的检查内容为安全保护装置。力矩传感系统与倾斜报警装置在平台达到倾翻力矩时，发出警示信号并阻止其他影响倾翻的动作。在部分臂架式升降平台中，根据臂架伸出的长度不同，会有不同的起重载荷曲线。如果行程开关被拆除或失效，会导致在不适当的载荷曲线下平台超载，从而造成设备倾翻等严重后果。

8.4.4　地基承载能力，地面的坡度、平整度不应低于使用说明书的要求。

解读：由于升降作业平台自重较大，地面的承载能力、平整度、坡度对产品的安全使用存在非常大的影响。现场检查时，应该把使用地面的状态作为检查项目之一。地面的承载能力与坡度应满足不同设备的使用要求。

8.4.8　各种运动机构应符合下列规定：

（1）转向应灵活、操作应轻便，不应有阻滞；

（2）转向连杆不应有裂纹、损伤；

（3）轮胎应符合本规范第5.5.3条的规定；

（4）臂架的起升、伸缩及回转不应有爬行、冲击、抖动；

（5）移动式升降作业平台的支腿、伸缩轴等稳定器应能伸展、锁定可靠；

（6）各部位润滑装置应齐全，润滑应良好。

解读：由于升降工作平台的运动机构较多，转向、起升、伸缩回转等动作都应平缓。运行中产生的振动会由于力矩的影响被放大到平台，从而造成平台的晃动量、振动量增大，导致危险的发生。第（5）款中的稳定器装置与升降工作平台的伸展高度、水平距离和起重量会有很大的关联。部分厂家的产品允许在稳定器使用和未使用时有不同的限定工作范围，此种情况下，稳定器的锁定装置、互锁装置的完好性和可靠性非常重要。如果锁定装置失效，有可能导致在稳定器没有放下的情况下，平台超出工作范围而发生事故。

8.4.10　制动系统各管路、部件连接应可靠；运行制动和停车制动应可靠有效。

解读：本条为对制动系统的检查，自行式升降工作平台的驻车制动与行车制动性能要在现场进行检查。不同厂家对产品的坡道制动能力会有不同的要求，现场需要针对设备标称进行制动检测，并保证制动可靠。尤其停车制动，比较容易忽视，升降工作平台升高后，地面的轻微坡度会导致停车制动失效情况下，平台发生位移导致事故。驻车制动与运行制动都会影响到设备的安全使用，在现场应予以检查。

10. 焊接机械

10.1　一般规定

10.1.1　现场使用的电焊机，应设有防雨、防潮、防晒、防砸的机棚，并应装设相应的消防器材。

解读：本条既是为了防范焊接现场火灾，对现场环境提出的要求，也是安全生产的需要和文明施工的要求。

10.1.3　电焊机导线应具有良好的绝缘，绝缘电阻不得小于 0.5MΩ，接地线接地电阻不得大于 4Ω；接线部分不得有腐蚀和受潮。

10.1.4　电焊钳应有良好的绝缘和隔热性能；电焊钳握柄绝缘应良好，握柄和导线连接应牢靠，接触应良好。

解读：10.1.3 和 10.1.4 这两条规定是为了防止触电。电焊机如绕组受潮、绝缘损坏，电焊机外壳将会漏电；在外壳缺乏良好的保护接零时，人体碰及将会发生触电事故。因此，应检查其绝缘性能。

10.1.7　安全防护装置应齐全有效；漏电保护器参数应匹配，安装应正确，动作应灵敏可靠；接零应良好。

解读：除在交流电焊机开关箱内装设一次侧漏电保护器以外，还应在二次侧装设漏电保护器，是为了防止电焊机二次空载电压可能对人体构成的触电伤害；当前施工现场普遍使用 JZ 型弧焊机漏电保护器，它可以兼作一次侧和二次侧的漏电保护。

10.10　气焊（割）设备

10.10.3　氧气瓶及其附件、胶管工具均不应沾染油污，软管接头不应采用含铜量大于 70% 的铜质材料制造。

解读：当压缩氧气与矿物油、油脂或细微分散的可燃粉尘等接触时，由于剧烈的氧化升温、炽热而发生自燃，发生火灾或爆炸；乙炔与铜等金属长期接触时能生成乙炔铜等爆炸物质，所以，凡是供乙炔用的器具、管接头不能用含铜 70% 以上的铜合金制造。

10.10.5　严禁使用未安装减压器的氧气瓶，减压器应在检定有限期内。

解读：减压器是保证氧气瓶安全的装置；当氧气瓶因高温等原因导致瓶内气体膨胀、压力增高，减压阀将自动开启，释放出瓶内膨胀气体，降低瓶内压力，以防止氧气瓶爆炸。

11. 钢筋加工机械

11.9　钢筋套筒冷挤压连接机

11.9.1　超高压油管的弯曲半径不应小于 250mm，扣压接头处不应有扭转和死弯。

解读：超高压油管的弯曲半径如果小于 250mm，其耐压力将迅速下降；同时，液体流向发生突然变化时，液压系统液压能量损失也明显加大。

14. 非开挖机械

14.1　一般规定

14.1.2　非开挖机械的选用应与周围岩土条件相适应。

解读：根据周围岩土条件选择适宜的刀盘形式、推进系统、土压或泥水平衡系统等设备。

14.1.3　隧道施工应选用特殊构造的加强型电器或高等级绝缘电器；在隧道施工中，

电器防爆等级应与作业环境相适应。高海拔地区应选用高原电器。

解读：在瓦斯隧道，设有防护措施是指洞内车辆、机械、工作和电力、照明、通信以及电压超过 1.2V、电流超过 0.1A、能量超过 20μJ、功率超过 25mW 的电器设备、仪器、仪表均应采取防爆型和有关作业的防爆措施；这些措施包括：机械设备和工具应使用防爆型，禁止电火花与冲击、摩擦火花的出现；应按有关矿井保护接地装置的安装、检查与测定工作细则执行；36V 以上的和由于绝缘损坏可能带有危险电压的电气设备的金属外壳、构架等，应有保护接地。

在缺乏高原型电器设备的情况下，非高原电器在高海拔地区使用时，对于电压在 35kV 及以下的电力变压器、开关、互感器等电气设备，可按下列原则选用：

（1）在海拔 2000m 以下，按一般情况选用（即可不考虑高海拔的影响）；

（2）当海拔高度在 2000～4000m 内时，可按提高一级绝缘水平选用。

第 2 节　《市政工程施工安全检查标准》CJJ/T 275—2018（节选）

2.2.1　概述

随着基础建设的迅猛发展，市政工程的数量、体量大幅提高。而在市政工程施工过程中，大型机械应用日益普遍，危险因素日益增多。为科学评价市政工程施工现场安全生产，预防生产安全事故的发生，保障施工人员的安全和健康，提高施工管理水平，实现安全检查工作的标准化，特制定本标准。

本标准的主要技术内容是：（1）总则；（2）术语；（3）通用检查项目；（4）地基基础工程；（5）脚手架与作业平台工程；（6）模板工程及支撑系统；（7）地下暗挖与顶管工程；（8）起重吊装工程；（9）检查评分方法；（10）检查评定等级。

本标准为行业标准，自 2018 年 11 月 1 日起实施。

2.2.2　重点条文解读

本标准的最大特色是指标的量化。根据项目的重要程度，赋予了总分值，方便汇总和评定等级。如图 2-1 所示。

市政工程施工安全检查评分汇总表

企业名称：　　　　　　　　　　　资质等级：　　　　　　　检查日期：　年　月　日

单位工程(施工现场名称)	项目类别	结构类型	总计得分(满分100分)	项目名称及分值									
				安全管理(满分10分)	文明施工(满分10分)	高处作业(满分10分)	施工用电(满分10分)	施工机具(满分5分)	地基基础工程(满分10分)	脚手架与作业平台工程(满分10分)	模板工程及支撑系统(满分15分)	地下暗挖与顶管工程(满分10分)	起重吊装工程(满分10分)
评定等级													
评语：													
检查单位			负责人				受检项目				项目经理			

注：项目类别是指道路工程、桥梁工程、隧道工程、管线工程等项目分类。

图 2-1　评分汇总表示意

本标准将检查项目分为保证项目和一般项目；对项目中的各条款，根据重要程度，赋予了分值、扣减分值，方便检查时比对、打分。

保证项目节选如图 2-2 所示。

安全管理检查评分表

序号	检查项目		扣分标准	应得分数	扣减分数	实得分数
1	保证项目	安全生产责任制	1)未制定安全生产责任制，扣10分；未经责任人签字确认，扣5分 2)未制定安全生产管理目标，扣10分；未进行安全生产责任目标分解，扣5分 3)未制定安全生产资金保障制度，扣10分；未编制安全资金使用计划或无安全资金使用台账，扣5分 4)未建立安全生产责任考核制度，扣10分；未定期对项目管理人员进行考核，扣5分 5)未按规定使用安全文明措施费，扣10分；未建立费用登记台账，扣5分	10		

图 2-2　保证项目节选示意

一般项目节选如图 2-3 所示。

安全管理检查评分表

序号	检查项目		扣分标准	应得分数	扣减分数	实得分数
8	一般项目	生产安全事故处理	1)未建立安全事故报告和调查处理制度，扣10分 2)安全事故、险情发生后未及时上报，扣10分 3)未对安全事故进行调查分析、制定防范措施，扣10分 4)未建立安全事故档案，扣5分	10		

图 2-3　一般项目节选示意

第 3 节　《建筑施工易发事故防治安全标准》JGJ/T 429—2018（节选）

2.3.1　概述

本标准的主要技术内容是：（1）总则；（2）术语；（3）基本规定；（4）坍塌；（5）高处坠落；（6）物体打击；（7）机械伤害；（8）触电；（9）起重伤害；（10）其他易发事故。

本标准为首次颁发，适用于房屋建筑和市政工程施工现场易发事故的防治安全管理。

2.3.2　重点条文解读

本节对标准中的重点条文进行解读，为便于理解，此处仍采用原标准的序号。

1. 总则

1.0.1　为预防房屋建筑和市政工程在施工过程中易发、频发的生产安全事故，保障施工安全，制定本标准。

解读：安全管理的最终目的是预防各类生产安全事故的发生。以往的房屋建筑和市政工程施工中，对生产安全事故的防治管理及技术规定，零散地分布于各类专业技术标准中，凌乱且不方便使用。本标准对施工现场易发、频发的事故进行系统、全面辨识，提出了总体要求和主要预防措施。

本标准所指的易发事故，是根据建设行政主管部门历年的施工安全事故统计结果，按事故发生频率高、死亡人数占比大的原则确定的生产安全事故。根据现行标准《企业职工伤亡事故分类》GB 6441 的规定，房屋建筑与市政工程施工主要涉及以下 14 种易发事故，分别是：物体打击、车辆伤害、机械伤害、起重伤害、触电、淹溺、火灾、高处坠落、坍塌、冒顶片帮、透水、爆炸、放炮、中毒和窒息。据统计，2014～2016 年，上述易发事故中，高处坠落、物体打击、坍塌、起重伤害四种事故占总事故数量的 85％以上，其中高处坠落就占 45％左右，故上述四种事故是事故预防的重点。

本标准属于安全管理标准的范畴，其条文直接针对各分部分项工程施工中潜在事故的预防作出规定。事故防治所涉及技术条款繁多，本标准强调底线意识，对预防事故的管理及技术措施提出主要的控制措施，既便于行业监管，又便于施工企业内控管理。

3. 基本规定

3.0.1　房屋建筑与市政工程施工应符合安全生产条件要求，应组建安全生产领导小组，应建立健全安全生产责任制和安全生产管理制度，应根据项目规模足额配备具备相应资格的专职安全生产管理人员。

解读：项目专职安全生产管理人员的数量应根据《建筑施工企业安全生产管理机构设置及专职安全生产管理人员配备办法》的规定进行配备。

3.0.2　施工前应对施工过程存在的危险源进行辨识，对危险源可能导致的事故进行分析，并应进行危险源风险评估，编制风险评估报告，制定控制措施。

3.0.3　施工前应进行现场调查，依据风险评估报告在施工组织设计中编制预防潜在事故的安全技术措施，对于危险性较大的分部分项工程应编制专项施工方案，附图纸和安全验算结果，并应进行论证、审查。

解读：施工现场需根据施工内容，进行危险源辨识，针对不同的分部分项工程，在制定施工组织设计时，有针对性地编制预防事故的安全技术措施。

3.0.5　进入施工现场的作业人员应逐级进行入场安全教育及岗位能力培训，经考核合格后方可上岗。特种作业人员应符合从业准入条件，持证上岗。

解读：进入施工现场的作业人员，必须是与企业签订正式劳动合同的人员，且经过入场安全教育并取得合格证。进入施工现场的作业人员需进行企业级、项目级、班组级三级安全教育。对不具备安全生产教育培训条件的企业，可委托具有相应资质的安全培训机构对从业人员进行安全培训。建筑电工、建筑架子工、建筑起重信号司索工、建筑起重机械司机、电梯司机、建筑起重机械安装拆卸工、高处作业吊篮安装拆卸工、电焊工、爆破作业人员、瓦斯监测员、潜水员等特种作业人员，需持有相应特种作业操作证才能上岗。

3.0.8　施工现场出入口、施工起重机械、临时用电设施以及脚手架、模板支撑架等施工临时设施、临边与洞口等危险部位，应设置明显的安全警示标志和必要的安全防护设施，并应经验收合格后方可使用。临时拆除或变动安全防护设施时，应按程序审批，经验收合格后方可使用。

解读：在编制安全技术专项措施时，要明确各类安全警示标志的悬挂数量、悬挂地点等，确定详细的警示标志悬挂方案。根据施工进度的要求，当需要调整安全防护设施时，要严格执行审批程序，不得私自拆除。

3.0.10　机具设备、临时用电设施、施工临时设施、临时建筑及安全防护设施等的主要材料、设备、构配件及防护用品应进行进场验收，用于施工临时设施中的主要受力构件和周转材料，使用前应进行复验。施工临时设施、临时建筑应经验收合格后方可投入使用。

解读：本条根据国家标准《建筑施工安全技术统一规范》GB 50870—2013"对涉及建筑施工安全生产的主要材料、设备、构配件及防护用品，应进行进场验收，并应按各专业安全技术标准规定进行复验"的规定制定。脚手架、模板支撑架、操作平台以及其他非标准临时结构和设施在投入使用前，需经各参建单位验收合格，并经责任人签字确认。

3.0.12 特种设备进场应有许可文件和产品合格证，使用前应办理相关手续，使用单位应建立特种设备安全技术档案。

解读：特种设备包括其所用的材料、附属的安全附件、安全保护装置和与安全保护装置相关的设施，根据国家质量监督检验检疫总局《关于修订〈特种设备目录〉的公告》（2014年第114号）所列的目录，建筑施工所涉及的特种设备主要是指用于垂直升降或垂直升降并水平移动重物的机电设备，其范围规定为额定起重量大于或等于0.5t的升降机；额定起重量大于或等于3t（或额定起重力矩大于或等于40t·m的塔式起重机，或生产率大于或等于300t/h的装卸桥），且提升高度大于或等于2m的起重机。

3.0.13 施工现场应根据危险性较大的分部分项工程类别及特征进行监测。

解读：根据现行安全技术规范及相关文件的规定，应对高边坡、深基坑、地下暗挖、人工挖孔桩、模板支撑体系、脚手架、起重吊装及起重机械安装拆卸、爆破与拆除等分部分项工程实施监控监测，并明确监测部位，编制监测方案，采取仪器监测与巡视检查相结合的方法，按设定的监测报警值实施施工监测。监测方案应包括工程概况、监测依据和项目、监测人员配备、监测方法、主要仪器设备及精度、测点布置与保护、监测频率及监测报警值、数据处理和信息反馈、异常情况下的处理措施等。监测报警值宜以监测项目的累计变化量和变化速率值进行控制。

3.0.14 施工现场应熟悉掌握综合应急预案、专项应急预案和现场应急处置方案，配备应急物资，并应定期组织相关人员进行应急培训和演练。

解读：根据《应急管理部关于修改〈生产安全事故应急预案管理办法〉的决定》（应急管理部令第2号）的规定，生产经营单位主要负责人负责组织编制和实施本单位的应急预案。生产经营单位应急预案分为综合应急预案、专项应急预案和现场处置方案。综合应急预案，是指生产经营单位为应对各种生产安全事故而制定的综合性工作方案，是本单位应对生产安全事故的总体工作程序、措施和应急预案体系的总纲；专项应急预案，是指生产经营单位为应对某一种或者多种类型生产安全事故，或者针对重要生产设施、重大危险源、重大活动防止生产安全事故而制定的专项性工作方案；现场处置方案，是指生产经营单位根据不同生产安全事故类型，针对具体场所、装置或者设施所制定的应急处置措施。施工现场应熟悉并掌握上述应急预案。

7. 机械伤害

7.0.4 施工机械进场前应查验机械设备证件、性能和状况，并应进行试运转。作业前，施工技术人员应向操作人员进行安全技术交底。操作人员应熟悉作业环境和施工条件，并应听从指挥，遵守现场安全管理规定。

解读：建筑施工现场所使用的机械设备种类繁多，对于机械设备证件的要求各不相同。普通的机械设备主要查验其产品合格证和使用说明书，特种设备主要查验其特种设备许可证、产品合格证、特种设备制造监督证明、备案证明、安装使用说明书和自检说明书。

7.0.12 机械在临近坡、坑边缘及有坡度的作业现场（道路）行驶时，其下方受影响范围内不得有任何人员。

解读：本条主要考虑机械临近坡、坑边缘时，万一发生危险，会对坡下、坑内作业人员造成伤害。其影响范围包括临近坡、坑部位以及作业现场（道路）坡道下方部位。

9. 起重伤害

9.0.1 起重机械安装拆卸工、起重机械司机、信号司索工应经专业机构培训，并应取得相应的特种作业人员从业资格，持证上岗。起重司机操作证应与操作机型相符，并应按操作规程进行操作。起重机作业应设专职信号指挥和司索人员，一人不得同时兼顾信号指挥和司索作业。

解读：本条根据《建筑施工特种作业人员管理规定》第四条"建筑施工特种作业人员必须经建设主管部门考核合格，取得建筑施工特种作业人员操作资格证书，方可上岗从事相应作业"制定。特种作业人员应经省级以上建设行政主管部门考核。

9.0.2 从事建筑起重机械安装、拆卸活动的单位应具有相应资质和建筑施工企业安全生产许可证，并在其资质许可范围内承揽建筑起重机械安装、拆卸工程。

解读：起重机械应实行一体化管理，即制造、安装、维修、保养应由有相应资质的单位完成。

9.0.3 起重机械安拆、吊装作业应编制专项施工方案，超过一定规模的起重吊装及起重机械安装拆卸工程，其专项施工方案应组织专家论证。起重机械作业前，施工技术人员应向操作人员进行安全技术交底。操作人员应熟悉作业环境和施工条件。

解读：采用起重拔杆等非常规起重设备且单件重量超过 100kN 的起重吊装工程，以及起重量 300kN 及以上的起重机械安装和拆卸工程，其专项施工方案应组织专家论证。

9.0.4 纳入特种设备目录的起重机械进入施工现场，应具有特种设备制造许可证、产品合格证、备案证明和安装使用说明书。起重机械进场组装后应履行验收程序，填写安装验收表，并经责任人签字，在验收前应经有相应资质的检验检测机构监督检验合格。

解读：本条是对建筑起重机械提出的进场要求。根据《建筑起重机械安全监督管理规定》的要求，属于特种设备的起重机，产权单位应按规定持起重机械特种设备制造许可证、产品合格证等有关资料，到本单位工商注册所在地县级以上地方人民政府建设主管部门办理备案。

9.0.6 起重机械安装所采用的螺栓、钢楔或木楔、钢垫板、垫木和电焊条等材质应符合设计要求。起重作业前应检查起重设备的钢丝绳及端部固接方式、滑轮、卷筒、吊钩、索具、卡环、绳环和地锚、缆风绳等，所有索具设备和零部件应符合安全要求。

解读：钢丝绳的规格、型号、穿绕应符合起重机产品说明书要求，其使用应符合现行国家标准《起重机械安全规程》GB 6067、《重要用途钢丝绳》GB 8918 及《钢丝绳通用技术条件》GB/T 20118 的有关规定，其维护、检验和报废应符合现行国家标准《起重机　钢丝绳　保养、维护、检验和报废》GB/T 5972 的规定，当钢丝绳达到该标准规定的报废条件时，应予报废。

吊钩达到现行国家标准《起重机械安全规程》GB 6067 规定的报废条件时，应予报废。起重机械不应选用铸造吊钩。钢丝绳卷筒、滑轮达到现行国家标准《起重机械安全规程》GB 6067 规定的报废条件时，应予报废。

地锚在起重拔杆、缆索式起重机、物料提升机等起重作业中，不但能固定卷扬机，而且常用来固定拖拉绳、缆风绳、导向滑轮等。地锚要经过设计计算，埋设后还应经过试拉检验。

钢丝绳或索具的端部固接通常采用编结和绳夹两种方式，其连接紧固方式应符合现行国家标准《起重机械安全规程》GB 6067 的要求。当采用编结固定时，编结长度不应小于 20 倍绳径，且不应小于 300mm；当采用绳夹固定时，绳夹规格应与绳径匹配，数量不应少于 3 个，间距不应小于绳径的 6 倍，绳夹夹座应安放在长绳一侧，不得正反交错设置。

9.0.7　起重机械的变幅限位器、力矩限制器、起重量限制器、防坠安全器、各种行程限位开关以及滑轮和卷筒的钢丝绳防脱装置、吊钩防脱钩装置等安全保护装置，应齐全有效，严禁随意调整或拆除。严禁利用限制器和限位装置代替操纵机构。

解读：现行国家标准《起重机械安全规程》GB 6067 详细列出了各种类型起重机械的安全装置的配备要求，行程限位开关在极限位置应保留足够的安全越程。滑轮、卷筒所设置的钢丝绳防脱装置与滑轮或卷筒轮缘最外缘的间隙不应超过钢丝绳直径的 20%，卷筒两端的凸缘至最外层钢丝绳的距离不应小于钢丝绳直径的 2 倍。

9.0.13　施工升降机的使用，应符合下列规定：

（1）施工升降机应安装防坠安全器，防坠安全器应在 1 年有效标定期内使用，不得使用超过有效标定期的防坠安全器；

（2）施工升降机使用期间，每 3 个月应进行不少于一次的额定载重量坠落试验；

（3）升降机额定载重量、额定乘员数标牌应置于吊笼醒目位置，并应安装超载保护装置；

（4）不得用行程限位开关作为停止运行的控制开关；

（5）施工升降机每 3 个月应进行一次 1.25 倍额定载重量的超载试验，制动器性能应安全可靠；

（6）施工升降机应设置附墙架，附墙架应采用配套标准产品，附墙架与结构物连接方式、角度应符合产品说明书要求；当标准附墙架产品不满足施工现场要求时，应对附墙架另行设计；

（7）附墙架间距、最高附着点以上导轨架的自由高度应符合产品说明书要求。

解读：施工升降机是事故多发的载人起重机械。本条对其防坠安全器的使用、强制坠落试验、超载保护装置、行程限位开关的使用、超载制动试验和附墙架的设置等作出相关规定。

第 4 节　《房屋市政工程安全生产标准化指导图册》（节选）

2.4.1　概述

《房屋市政工程安全生产标准化指导图册》（以下简称图册），是为更好推动工程建设各方主体认真执行《工程质量安全手册（试行）》，将工程质量安全要求落实到每个项目、每个员工，落实到工程建设全过程，秉持安全、绿色、创新、可持续的发展理念，由住房和城乡建设部组织编写的作为《工程质量安全手册（试行）》的配套图册，供工程质量安全监管部门和建设、勘察、设计、施工、监理等企业使用。

本图册共有五部分：安全管理行为标准化、房建工程安全生产标准化、市政工程安全生产标准化、特殊自然条件应对措施、智慧工地推广。

2.4.2　重点条文解读

本节对图册中的重点条文进行解读，为便于理解，此处仍采用原图册的序号。

第一部分：安全管理行为标准化

1.5.1　企业安全生产组织保障

施工企业应当依法设置安全生产管理机构，在企业主要负责人的领导下开展本企业的安全生产管理工作，配备相应的专职安全生产管理人员，建立健全从管理机构到基层班组的管理体系。

（1）企业安全生产委员会

成立以企业主要负责人为主任的安全生产委员会（以下简称安委会），统一领导企业的安全生产工作。设立安全生产委员会办公室（以下简称安委办），作为安委会的办事机构。安委办应设在企业安全生产监督管理部门，安委办主任由企业安全生产监督管理部门主要负责人兼任。由安委办落实安委会决议，督促、检查安委会会议决定事项的贯彻落实情况，承办安委会交办的其他事项。

（2）安全生产管理部门

施工企业应设置负责安全生产管理工作的独立职能部门，人员配备应按照《建筑施工企业安全生产管理机构设置及专职安全生产管理人员配备办法》的规定。

（3）安全生产管理人员

各生产经营单位主要负责人、有关负责人和专职安全生产管理人员应取得政府相关部门安全生产考核合格证书。

解读：施工企业应当依法设置安全生产管理机构、安全生产委员会，设立独立的安全生产管理部门，按比例配备安全生产管理人员，确保安全生产管理的正常运行。

1.5.3　企业安全检查

（1）检查与监督

1）施工企业应建立健全安全生产检查制度，组织开展安全检查，消除安全隐患。施工企业安全生产管理机构专职安全生产管理人员，在施工现场检查过程中具有以下职责：①查阅在建项目安全生产有关资料，核实有关情况；②检查危险性较大工程安全专项施工方案落实情况；③监督项目专职安全生产管理人员履责情况；④监督作业人员安全防护用品的配备及使用情况；⑤对发现的安全生产违章违规行为或安全隐患，有权当场予以纠正或作出处理决定；⑥对不符合安全生产条件的设施、设备、器材，有权当场作出查封的处理决定；⑦对施工现场存在的重大安全隐患有权越级报告或直接向建设主管部门报告；⑧企业明确的其他安全生产管理职责。

2）各企业应定期和不定期对大型机械设备、附着式升降脚手架、模板支撑体系等设备设施以及深基坑、地下暗挖、高大模板、大型吊装、拆除、爆破、高大脚手架等危险性较大的分部分项工程进行专项、重点检查，并应对大型起重机械安装拆卸工程进行动态监管。

3）应根据生产实际及气候变化情况，定期和不定期开展季节性安全检查与隐患排查。

4）各企业负责人应按照规定对生产场所进行带班检查和带班生产，保存带班记录。

5）安全检查与隐患排查的依据：法律法规、规范标准、管理制度等。安全检查与隐患排查方式：以访谈、查阅记录、现场查看等为主要手段，并编制企业自身的安全检查表格作为辅助。

6）安全检查与隐患排查应留存相应的检查记录。

（2）整改与跟踪

1）针对查出的安全隐患和问题，应签发安全隐患整改通知单，检查单位应对隐患或问题的整改情况进行复查或委托下级企业进行复查，跟踪督促落实，形成闭环管理。

2）各企业应建立挂牌督办制度，对需要一定时间整改的重大隐患和事故单位，进行挂牌督办。

3）受检单位应对安全检查和督查发现的问题进行分析，查找管理原因，制定提升计划或改进措施。

4）对被安全生产投诉的生产场所，当事企业应迅速组织安全检查，整改隐患，并将整改情况向相关部门及时进行反馈。

5）对存在未及时整改或发生重复性问题的责任单位和责任人，应进行问责和处罚。

解读：本条详述了企业安全检查的过程、方法、内容；提出了整改后再检查的方法，以及对相关责任人员的追责。

1.5.4　企业安全生产费用

企业应按《中华人民共和国安全生产法》和《企业安全生产费用提取和使用管理办法》规定，制定安全生产费用提取和使用管理制度，明确安全费用计提、使用及管理的程序、职责及权限等。

解读：安全生产费用是保证安全生产活动正常运行的关键，企业必须按规定提取，并做到专款专用。

1.5.5　企业安全技术管理

（1）体系建立

各施工企业应建立健全安全技术保障体系，制定完善的安全生产技术管理制度，识别并及时更新适用的安全生产法律法规、安全技术标准及规范。编制生产组织、技术方案等技术文件时，应有安全技术保障措施，未经审批，不得进行生产。

（2）安全技术措施及方案

危险性较大的分部分项工程专项施工方案由项目部技术部门组织编制，企业技术、安全、工程部门审核，企业总工程师（或总工程师授权人员）审核签字。企业安全生产管理部门应对安全措施与专项施工方案的编制、审核过程进行监督。

超过一定规模的危险性较大的分部分项工程专项施工方案由项目技术负责人组织编制，企业技术、安全、工程部门审核，企业总工程师（或总工程师授权人员）审核签字后，由施工单位组织召开专家论证会对专项施工方案进行论证。

（3）危险性较大的分部分项工程专项施工方案的主要内容：①工程概况；②编制依据；③施工计划；④施工工艺技术；⑤施工安全保证措施；⑥施工管理及作业人员配备和分工；⑦验收要求；⑧应急处置措施；⑨计算书及相关施工图纸。

（4）危险性较大的分部分项工程的监管

施工企业应建立在建项目危险性较大的分部分项工程安全监管台账，进行动态监管。各级技术部门、工程部门、安全部门，应当按照各自职责，分别把危险性较大的分部分项工程的方案、实施、监督作为本部门工作检查的重点，按照国家法律法规、行业及企业标准，定期、不定期对项目进行检查。

（5）安全验收

1）超过一定规模的危险性较大的分部分项工程。经项目验收合格后，由公司或分支机构组织技术、质量、安全、设备等相关部门核验。

2）危险性较大的分部分项工程验收人员应当包括总承包单位技术负责人或授权委派的专业技术人员。经项目验收合格后，由公司或分支机构设备部门组织工程、安全、技术等相关部门核验。

解读：安全技术保障体系为企业安全生产提供技术支持和保证，各类安全生产方案的制定、过程监管、安全验收，必须严格按规定执行。

1.5.6　项目安全生产责任体系

（1）组织机构建立

项目部应成立包括总承包单位项目经理、班子成员、各部门负责人，专职安全生产管理人员，以及分包单位现场负责人的安全生产领导小组，定期召开安全生产领导小组会议，研究解决项目安全问题。

设置独立的安全生产监督管理部门，按照《建筑施工企业安全生产管理机构设置及专职安全生产管理人员配备办法》，总包单位与分包单位配备充足的专职安全生产管理人员。

（2）各岗位安全责任分工

项目经理对本项目安全生产全面负责，各岗位人员对分管业务的安全生产工作具体负责。项目部应按照施工现场实际管理状况，将安全生产保障要素进行分配，落实到部门或个人。

（3）安全生产责任制考核

项目开工后一个月内，项目经理与项目管理人员签订岗位安全生产责任书。由项目经理、安全负责人共同组织，对项目管理人员安全履职情况进行月度考核，并与岗位绩效挂钩。

解读：项目安全生产责任体系是确保项目安全生产的关键因素。通过体系建立、职责划分、责任制考核等措施，确保项目安全生产的进行。

1.5.7　项目安全生产管理方案

施工项目部作业前，由项目经理组织相关人员编制安全生产管理方案，单独编制成册，由企业安全生产管理部门组织相关部门评审，安全总监（安全负责人）审核，主管生产领导批准后实施。

解读：项目安全生产管理方案应按规定履行编制和审批程序，确保管理方案的可行性。

1.5.13　项目安全验收

（1）项目部应建立安全验收制度，明确验收种类、验收人员。各类安全防护用具、架体、设施和设备进入施工现场或投入使用前必须经过验收，合格后方可投入使用。验收合格后应当在施工现场明显位置设置验收标识牌，公示验收时间及责任人员。

（2）经专家论证的超过一定规模危险性较大的分部分项工程，先由项目组织验收，报请公司复核验收。

（3）验收的范围包括但不限于以下内容：危险性较大的分部分项工程、个人安全防护用品、安全检验检测设备、安全防护设施、机械设备、脚手架及模板支架等。验收时应明确验收的内容，参与验收人员、验收的标准、验收的方式等。

解读：项目部应建立安全验收制度，明确验收的内容、方法、标准、责任人，确保安全验收的顺利进行。

第二部分　房建工程安全生产标准化

2.2.6　高处作业吊篮

1. 必须使用厂家生产的定型产品，设备要有制造许可证、产品合格证和产品使用说明书。安装完毕后经使用单位、安装单位、总包单位验收合格方可使用。

2. 安装前，必须对有关技术和操作人员进行安全技术交底，要求内容齐全、有针对性，交底双方签字。

3. 吊篮前梁外伸长度应符合吊篮使用说明书的规定；吊篮最大拼装长度控制在允许范围内，吊篮升降必须使用独立保险绳，绳径不小于 12.5mm。

4. 每班作业前，应对配重进行重点检查。

5. 每台吊篮限定 2 人进行操作，严禁超过 2 人。

6. 应根据平台内的人员数配备独立的坠落防护安全绳。安全绳应固定在建筑主体结构上或专用预埋环上，不得与吊篮上的任何部位连接。与每根坠落防护安全绳相系的人数不应超过 2 人。坠落防护安全绳应符合现行标准《坠落防护　安全绳》GB 24543 的规定。

7. 正常工况下，安全锁应能手动锁住钢丝绳；使用前，应试运行升降，检查安全锁动作的可靠性。

8. 合理安排施工节奏，相邻 2 台吊篮不得在竖向存在不等高施工，造成交叉作业。

9. 严禁将吊篮用作垂直运输设备或进行交叉作业，严禁作业人员从窗户、洞口上下吊篮（首层除外）。

解读：高处作业吊篮构造简单、价格便宜；安装方便、使用简单；安全性、可靠性较高，因此，近年来，得到了越来越广泛的应用。本条详细描述了吊篮的安全使用要点。

2.3.1　塔式起重机

2.3.1.1　塔式起重机

塔式起重机的使用和管理必须符合《塔式起重机安全规程》GB 5144、《危险性较大的分部分项工程安全管理规定》（住房和城乡建设部令第 37 号）等要求。

2.3.1.2　塔式起重机一般规定

1. 采用非常规起重设备、方法，且单件起吊重量在 10kN 及以上的起重吊装工程，采用起重机械进行安装的工程，起重机械安装和拆卸工程，需要编制安全专项施工方案。采用非常规起重设备、方法，且单件起吊重量在 100kN 及以上的起重吊装工程，起重量300kN 及以上，或搭设总高度 200m 及以上，或搭设基础标高在 200m 及以上的起重机械安装和拆卸工程，应对专项方案进行专家论证。

2. 必须建立设备单机档案，各类起重设备生产厂家必须提供生产（制造）许可证、起重机械设备产品合格证和使用说明书。

3. 塔式起重机安拆、顶升加节、附着等关键工序作业须编制《大型设备关键工序作业规划计划》，安拆人员（持证上岗）必须严格按照安拆规划、方案和使用说明书相关规定程序进行关键工序作业，监理工程师、设备管理工程师、安全工程师必须在场监督。

4. 设备关键工序作业前必须根据国家和地方规定办理安拆告知手续，安装完毕后须经第三方检测合格、四方验收，使用前必须取得准用证书。

2.3.1.3　塔式起重机基础

1. 基础应按国家现行标准和使用说明书所规定的要求进行设计和施工。施工单位应根据地质勘察报告确认施工现场的地基承载能力。

2. 当施工现场无法满足塔式起重机使用说明书对基础的要求时，可自行设计基础，可采用下列常用的基础形式：板式基础；桩基承台式混凝土基础；组合式基础。

3. 基础应有排水设施，不得积水。

4. 基础中的地脚螺栓等预埋件应符合使用说明书的要求。

5. 桩基或钢格构柱顶部应锚入混凝土承台一定长度；钢格构柱下端应锚入混凝土桩基，且锚固长度能满足钢格构柱抗拔要求。

2.3.1.4　塔式起重机附着装置

1. 严格按照厂家使用说明书安装附墙装置，附着拉杆支承处建筑主体结构的强度应满足附着荷载要求，每次安装完毕并验收合格后方可继续使用。

2. 穿墙螺杆必须两头双螺帽上紧，垫片尺寸、螺栓强度符合说明书要求。

3. 附着拉杆与耳板、框梁之间连接的销轴的开口销必须打开。

4. 附着拉杆与加固位置之间的角度不宜太大或太小，以 45°～60° 为宜。

5. 安装附着框架和附着支座时，各道附着装置所在平面与水平面的夹角不得超过 10°。

2.3.1.5　塔式起重机安全装置

1. 塔式起重机安全保护装置检查周期须满足《起重机械　检查与维护规程　第 3 部分：塔式起重机》GB/T 31052.3 相关标准要求。

2. 其他安全装置主要包括：钢丝绳防脱槽装置、小车断绳保护装置、小车防断轴装置、起重臂终端缓冲装置、吊钩防钢丝绳脱钩装置、障碍指示灯、风速仪、司机紧急断电开关。

3. 起升高度限位器检查要求：（1）起升高度限位器灵敏可靠，当吊钩装置顶升至起重臂下端的最小距离为 800mm 处时，应能立即停止起升运动。（2）钢丝绳排列整齐，润滑良好，无断股现象，防脱槽装置完好。

4. 变幅限位器检查要求：（1）变幅限位器灵敏可靠，变幅限位器开关动作后应保证小车停车时其端部距缓冲装置最小距离为 200mm。（2）钢丝绳排列整齐，无断股现象，断绳保护完好。

5. 回转限位器检查要求：（1）回转限位器灵敏可靠，回转限位开关动作时塔式起重机臂架旋转角度应不大于 ±540°。（2）回转黄油充足，运行时无颤抖现象和异常声响。

6. 起重量限制器检查要求：起重量限制器灵敏可靠，综合误差不大于额定值的 ±5%。

7. 起重力矩限制器检查要求：（1）起重力矩限制器灵敏可靠，综合误差不大于额定值的±5%。（2）微动开关无锈蚀，手动按下反弹灵活。（3）防护罩完好。

8. 塔式起重机变幅小车应安装断绳保护及断轴保护装置。塔式起重机安装高度大于30m时应安装红色障碍灯，大于50m时应安装风速仪。

9. 塔式起重机吊钩应安装钢丝绳防脱钩装置，滑轮、卷筒应安装钢丝绳防脱装置。吊钩、卷筒及钢丝绳的磨损、变形等应在规定允许范围内；卷筒上钢丝绳排列整齐。

2.3.1.6　群塔防撞系统

塔式起重机安全距离的基本要求如下：

1. 两台塔式起重机之间的最小架设距离应保证处于低位塔式起重机的起重臂端部与另一台塔式起重机的塔身之间至少有2m的距离；处于高位塔式起重机的最低位置的部件（吊钩升至最高点或平衡重的最低部位）与低位塔式起重机中处于最高位置部件之间的垂直距离不应小于2m。

2. 群塔作业应编制专项安全施工方案，安装防碰撞系统，并对司机指挥人员进行专项安全技术交底。

3. 防碰撞系统的基本要求：（1）实时显示塔式起重机当前工作参数，使司机能直观了解塔式起重机的工作状态。（2）精确实时采集小车幅度、起升高度、回转角度数据，将当前数据与设定数据进行比较。超出范围时切断不安全方向动作，并声光报警。（3）控制群塔的协调作业，相互间不发生碰撞事故。

解读：本条详细描述了塔式起重机的安全使用要点，施工过程中，应严格执行。

2.3.2　施工升降机

2.3.2.1　施工升降机一般规定

1. 施工升降机应按使用说明书要求设置附着装置，附着架与水平面夹角不得超过±8°。

2. 附着点应设置在结构框架主梁或剪力墙上，并宜采用预留孔洞穿墙螺栓固定，锚固点的受力强度满足设计要求，严禁设置在砖墙、空心板墙、阳台或建筑物的其他附属物上。

3. 电梯附墙穿墙螺栓必须加设100mm×100mm×8mm的钢板。

4. 最后一道附墙上自由高度应不大于7.5m，上限位与极限限位之间的距离应满足使用说明书要求。

5. 施工升降机额定载重量、额定乘员数标牌应置于吊笼醒目位置。严禁在超过额定载重量或额定乘员数的情况下使用施工升降机。

6. 施工升降机应单独安装接地保护和避雷接地装置，接地电阻不超过4Ω。

7. 防护围栏应符合下列规定：（1）施工升降机应设置高度不低于1.8m的地面防护围栏，不得缺损，并应符合使用说明书的要求。（2）围栏门的开启高度不应小于1.8m，并应符合使用说明书的要求。围栏门应装有机械锁紧和电气安全开关。

2.3.2.2　施工升降机安全装置

1. 防坠落安全器：安装完毕使用前进行坠落试验，每三个月进行一次坠落试验，使用满一年，必须进行检测，满五年换新。

2. 施工升降机在每班首次载重运行时，当梯笼升离地面1～2m时，应停机试验制动器的可靠性；当发现制动效果不良时，应调整或修复后方可运行。

3. 检查频次：各类安全装置每半个月检查一次；防坠器每三个月检查一次。

2.3.2.3　施工升降机齿轮啮合保证措施

1. 传动齿轮、防坠安全器的齿轮与齿条啮合时，接触长度沿齿高不得小于 40%，沿齿长不得小于 50%。

2. 相邻两齿条的对接处沿齿高方向的阶差不得大于 0.3mm，沿长度的齿差不得大于 0.6mm。

3. 齿条应有 90% 以上的计算宽度参与啮合，且与齿轮的啮合侧隙应为 0.2~0.5mm。

2.3.2.4　施工电梯人脸识别系统

1. 施工电梯司机身份识别系统可通过指纹、人脸、ID 卡等多种方式识别。

2. 司机必须身份识别成功后方可启动施工电梯，避免非专属司机随意启动电梯，实现对操作员履职和设备安全的有效管理。

解读：本条详细描述了施工升降机的安全使用要点，施工过程中，应严格执行。

2.3.3　物料提升机

2.3.3.1　物料提升机一般规定

1. 井架物料提升机的安装、使用、拆除应执行现行行业标准《龙门架及井架物料提升机安全技术规范》JGJ 88 的规定。

2. 用于物料提升机的材料、钢丝绳及配套零部件产品应有出厂合格证。起重量限制器、安全防坠器应经型式试验合格。钢丝绳在卷筒上应整齐排列，端部应与卷筒压紧装置连接牢固。当吊笼处于最低位置时，卷筒上的钢丝绳不应少于 3 圈。

3. 各停层平台处，应设置显示楼层的标志。

4. 物料提升机的制造商应具有特种设备制造许可证。安装、拆除单位应具有起重机械安拆资质及安全生产许可证；安装、拆除作业人员必须经专门培训，取得特种作业资格证。

5. 物料提升机额定起重量不宜超过 160kN；当荷载达到额定起重量的 90% 时，起重量限制器应发出警示信号；当荷载达到额定起重量的 110% 时，起重量限制器应切断上升主电路电源。当吊笼提升钢丝绳断绳时，防坠安全器应制停带有额定起重量的吊笼，且不应造成结构损坏。自升平台应采用渐进式防坠安全器。

6. 安装高度不宜超过 30m。当安装高度超过 30m 时，物料提升机除应具有起重量限制、防坠保护、停层及限位功能外，尚应符合下列规定：（1）吊笼应有自动停层功能。（2）防坠安全器应为渐进式。（3）应具有自升降安拆功能。（4）应具有语音及影像信号。当物料提升机安装高度大于等于 30m 时，不得使用缆风绳。

7. 物料提升机应设置标牌，且应标明产品名称和型号、主要性能参数、出厂编号、制造商名称和产品制造日期。

8. 物料提升机必须由取得特种作业操作证的人员操作，物料提升机严禁载人。

9. 物料提升机地面进料口应设置防护围栏，围栏高度不应小于 1.8m，围栏立面可采用网板结构。进料口门的开启高度不应小于 1.8m；进料口门应装有电气安全开关，吊笼应在进料口门关闭后才能启动。

10. 停层平台独立搭设，应符合相关标准规定，并应能承受 3kN/m² 的荷载。平台四周应设符合高度要求的防护栏杆和挡脚板。平台门达到工具式、定型化的要求，平台门高不小于 1.8m，平台门应向停层平台内侧开启，并处于常闭状态。

11. 进料口防护棚设在提升机地面进料口上方，长度不小于 3m，宽度大于吊笼宽度，顶部强度应达到规定要求。

12. 物料提升机操作室（卷扬机操作棚）宜采用定型化、装配式，应具有防雨功能，有足够的操作空间。顶部强度符合规定要求。

2.3.3.2　物料提升机附墙架

1. 当导轨架的安装高度超过设计的最大独立高度时，必须安装附墙架。

2. 宜采用制造商提供的标准附墙架，当标准附墙架结构尺寸不能满足要求时，采用非标附墙架应符合下列规定：（1）附墙架的材质应与导轨架相一致。（2）附墙架与导轨架及建筑结构采用刚性连接，不得与脚手架连接。（3）附墙架间距、自由端高度不宜大于 6m，且不应大于使用说明书的规定值。

解读：本条详细描述了物料提升机的安全使用要点，施工过程中，应严格执行。

2.3.4　起重吊装

2.3.4.1　汽车起重机

1. 进场汽车起重机应对报验手续进行审核，审核资料包括：设备合格证、行驶证本、机动车检验合格证、安全检验合格证、特种作业操作证、铭牌复印件、带有汽车号码的全车照片复印件等。

2. 汽车起重机现场重点检查吊车吊索具、安全保险装置是否可靠有效，支腿是否完全打开，周边是否存在高压线等危险因素等，同时设置警戒隔离区域，专人看护。

3. 大雨、大雾、六级以上大风等恶劣天气条件，禁止室外吊装作业。

4. 起重机工作场地应保持平坦坚实，地面松软不平时，支腿应用垫木垫实。

5. 作业前应全部伸出支腿，调整机体，使回转支撑面的倾斜度在无荷载时不大于 1/1000（水准居中）。支腿的定位销必须插上。

6. 工作时起重臂的最大和最小仰角均不得超过其额定值，如无相应资料时，最大仰角不得超过 78°，最小仰角不得小于 45°。作业中不得扳动支腿操纵阀，调整支腿时应在无载荷时进行。

7. 作业后，应将起重臂全部缩回放在支架上，再收回支腿。吊钩用钢丝绳挂牢；应将取力器操纵手柄放在脱开位置，最后锁住起重操纵室门。

2.3.4.2　履带起重机

1. 进场设备应对设备资料（合格证、保修证、使用和维修证明书、维修合格证、保险单等）、结构外观、钢丝绳、安全装置等进行验收。

2. 操作人员和起重指挥人员必须持有《特种作业操作证》，并对设备的工作原理和构造及安全装置的构造和调整方法进行熟悉。定期保养，严禁搬动和拆卸安全装置。

3. 起重作业场地应符合说明书要求，如地面松软，应夯实后用枕木横向垫于履带下方；工作、行驶与停放时，应与沟渠、基坑保持安全距离。加油时严禁吸烟或动用明火。

4. 在开始起吊时，应先用微动信号指挥，待负载离开地面 10~20cm 并稳定后，再用正常速度指挥。在负载最后降落就位时，也应使用微动信号指挥。如遇大风，应立即停止作业，并将主臂转至顺风方向或趴至最低位置。

5. 起吊前确认回转范围内有无障碍物，保持与建筑物、高压线间的安全距离。

6. 有物品悬挂在空中时，操作人员和指挥人员不得离开工作岗位。

7. 每班作业完毕后，履带式起重机必须退出施工现场塔式起重机的回转区域，将主臂降至40°～60°之间，并转至顺风方向，关闭发动机，操纵杆放到空挡位置，将各制动器刹死，并将驾驶室门窗锁住。

2.3.4.3 卷扬机

1. 卷扬机的安拆和使用应编制施工方案，经过审批后实施。卷扬机及钢丝绳的进场需经过安全验收。

2. 设备安装：卷扬机使用后置埋件作为固定点的，在安装前，固定点应进行额定负荷（含卷扬机自重）的125％抗拉拔试验。新安装或经拆检后安装的卷扬机，首先应进行空车试运转3次。在正常使用前以额定负荷的125％，受吊物起升离地100mm，10min的静负荷试验，检查是否正常。钢丝绳卷绕在卷筒上的安全圈数应不少于3圈。

3. 安全防护：卷扬机周边5m范围内应使用1.8m高工具化防护设施进行隔离。

4. 安全装置：卷扬机应有制动器、限位、防跳绳装置，皮带或开式齿轮传动部分均应设防护罩。卷扬机制动操纵杆在最大操纵范围内不得触及地面或其他障碍物。

5. 岗前培训：卷扬机的操作应指定专人，在进行培训和安全交底后方能上岗作业。

6. 注意事项：受吊物不在操作人员视线内，应配备对讲机。卷扬机每日施工前需检查一次，看是否存在断裂等现象。作业完毕或休息时重物要降至地面，所有操作手柄回到零位，切断电源，锁好闸箱，做好运转记录后才能离开。

7. 维修检查：维修检查时，必须切断电源并且空载。卷扬机每月检查一次。卷扬机的最高使用年限不得超过5年。

8. 档案管理：卷扬机应有配套的出厂合格证、生产许可证和检测报告；月检、试车、维修保养记录存档备查。

解读：本条详细描述了起重吊装设备的安全使用要点，施工过程中，应严格执行。

2.4.1 桩机

1. 桩机进场时由相关人员组织验收，严禁使用不合规设备。

2. 桩机在转场行走时，对陡坡等道路进行观察，必要时制定加固措施，防止碰撞结构物或翻车。

3. 作业区应无妨碍作业的高压线、地下管道和暗埋电缆，并设有明显标志或围栏，非工作人员不得进入。

4. 作业区应按桩机使用说明书的要求进行平整压实，地基承载力应满足桩机的使用要求。

5. 过程中，应经常检查设备的运转情况，当发生异响、吊索具破损、紧固螺栓松动等不正常情况时，应立即停机检查。

6. 六级以上大风或其他雨雪等恶劣天气，应停止钻孔作业。暴风雪后应对设备进行检查，合格后方可复工。

解读：本条详细描述了桩机的安全使用要点，施工过程中，应严格执行。

2.4.2 混凝土汽车输送泵

1. 混凝土汽车输送泵进场前，设备管理员必须收集其出厂合格证、产权备案证、年检合格证等资料。

2. 混凝土汽车输送泵应停放在平整坚实的地方，支腿底部应用垫木支架平稳，臂架转动范围内不得有障碍物，严禁在高压输电线路下作业。

3. 混凝土浇筑时，现场工程师需对混凝土汽车输送泵定期进行巡视，确保泵车作业的环境安全。

4. 作业中应严格按顺序打开臂架，风力大于六级（含六级）时严禁作业。

5. 混凝土浇筑过程中需加强文明施工，设专人对路面进行清洗，做到工完场清。

6. 罐车的出入及停靠必须有专人指挥。

解读：本条详细描述了混凝土汽车输送泵的安全使用要点，施工过程中，应严格执行。

2.4.3 自升式布料机

1. 自升式布料机现场使用多为楼面内爬式布料机、电梯井内爬式布料机两种。

2. 自升式布料机安装拆除应编制专项方案，作业人员持证上岗，作业前应进行安全技术交底，操作人员必须严格依照专项方案及设备说明书要求的组装顺序及安全要求进行安装、拆除。

3. 自升式布料机操作与维护应与其他大型设备相同，满足一般性安全事项要求，如遇有视线不清、雷雨、大雪、浓雾和四级以上大风的天气不得进行安装、顶升和拆卸作业等。

4. 电梯井内爬式布料机应制作水平防护操作平台，应固定于布料机爬升装置上，与布料机同步提升，操作平台边缘与结构之间间隙不得大于 100mm。

解读：本条详细描述了自升式布料机的安全使用要点，施工过程中，应严格执行。

2.4.6 登高作业车

1. 登高车进场前需进行验收，合格后方可投入使用。每日班前详细检查各部件情况并做好记录，经试车合格后再进行作业。

2. 登高车操作人员经体检合格并取得操作证后，方可独立操作，同一登高车上作业人员不得超过 2 人。

3. 作业前应按规定穿戴好劳保用品，安全带应挂在独立的固定点上。

4. 禁止将登高车任何部分作其他结构的支撑，不得将登高车作起重机械使用，不得随意增大平台面积，不得超载使用。

5. 室外作业时，当风力达到或超过六级时，禁止使用登高车。

6. 登高车作业区域设警戒线，操作平台正下方不得作业、站人和行走，地面设置专人监护。

7. 登高车作业后应及时将平台收回，非作业时操作平台严禁长时间停留高空。

解读：本条详细描述了登高作业车的安全使用要点，施工过程中，应严格执行。

第 5 节 《塔式起重机》GB/T 5031—2019（节选）

2.5.1 概述

本标准的主要内容有：（1）范围；（2）规范性引用文件；（3）术语和定义；（4）分类与标识；（5）技术要求；（6）试验方法；（7）检验规则；（8）信息标志；（9）包装、运输和贮存；（10）安装及爬升；（11）使用检查。

本标准适用于 GB/T 6974.3 所定义的塔式起重机（以下简称塔机）；不适用于可装设

塔身的流动式起重机、带或不带臂架的安装桅杆。

本标准代替《塔式起重机》GB/T 5031—2008。与 GB/T 5031—2008 相比，主要技术变化如下：

（1）增加了"定置式塔机""爬升支撑装置""换步支撑装置"等术语；

（2）修改了型号分类方法和标识原则；

（3）修改了"平衡重与压重"的技术要求；

（4）补充修订了对"爬升装置"的要求；

（5）调整了对"钢丝绳防脱装置"的要求；

（6）增加了"爬升装置"试验方法；

（7）增加了"动臂变幅幅度限制装置检验"方法；

（8）删除了"可靠性"要求及试验方法。

2.5.2 重点条文解读

本节对标准中的重点条文进行解读，为便于理解，此处仍采用原标准的序号。

4. 分类与标识

4.1 分类

4.1.1 按组装方式：塔机按组装方式分为自行架设塔机和组装式塔机。

4.1.2 按回转部位：塔机按回转部位分为上回转塔机和下回转塔机。

4.1.3 组装式塔机按上部结构特征：组装式塔机按上部结构特征分为水平臂（含平头式）小车变幅塔机、倾斜臂小车变幅塔机、动臂变幅塔机、伸缩臂小车变幅塔机和折臂小车变幅塔机。

动臂变幅塔机按臂架结构形式分为定长臂动臂变幅塔机与铰接臂动臂变幅塔机。

4.1.4 组装式塔机按中部结构特征：组装式塔机按中部结构特征分为爬升式塔机和定置式塔机。

4.1.5 爬升式塔机按爬升特征：爬升式塔机按爬升特征分为内爬式塔机和外爬式塔机。

4.1.6 按基础特征：组装式塔机按基础特征分为轨道运行式塔机和固定式塔机，固定式塔机又分为固定底架压重塔机和固定基础塔机。

自行架设塔机按基础特征分为轨道运行式塔机和固定式塔机。

4.1.7 自行架设塔机按上部结构特征：自行架设塔机按上部结构特征分为水平臂小车变幅塔机、倾斜臂小车变幅塔机、动臂变幅塔机。

4.1.8 自行架设塔机按转场运输方式：自行架设塔机按转场运输方式分为车载式和拖行式。

4.2 标识

制造商应在产品技术资料、样本和产品显著部位标识产品型号，型号中至少应包含塔机的额定起重力矩，单位为吨·米（t·m）。

解读：本章按不同的分类方式、特征，介绍了塔机的分类方法、标识方法。

5. 技术要求（略）

解读：本章对整机、结构、机械、电气、安全装置、制造商提供的技术资料等方面进行了规定。

6. 试验方法（略）

解读：本章对试验条件，技术资料检查，零部件外观检查、尺寸与重量测量、标准节互换性，外观及表面防护检查，结构焊缝检查，稳定性试验与校核，爬升装置试验，空载试验，额定载荷试验，110%额定载荷动载试验，连续作业试验，安全装置试验，拖行试验，125%额定载荷静载试验等方面进行了规定。

7. 检验规则

7.1　分类

塔机检验分为型式检验和出厂检验。

解读：本章规定了型式试验的前提、出厂检验的内容等。

8. 信息标志

8.1　标志

8.1.1　制造商标志

每台塔机均应有耐用金属标牌，以永久清晰地标识以下信息：

（1）产品名称和型号标识；

（2）产品制造编号和出厂日期；

（3）制造商名称；

（4）制造许可证号。

8.1.2　额定能力标志

每台塔机均应有耐用且清晰的图表标牌，该标牌应固定在司机处于操作位时可见的位置，其图表应包括但不限于以下内容：

（1）对应不同臂长、倍率时各幅度的起重量、合适的起升速度及得当的平衡重布置；

（2）与限制器和操作步骤有关的警告提示；

（3）最大允许工作风速；

（4）应将吊索及附加取物装置作为起升载荷组成部分的提示。

解读：本章规范了塔机标志的内容、标牌的要求等。详尽、统一的标志信息可以让使用者快速了解各类参数，方便应用。

第 6 节　《塔式起重机混凝土基础工程技术标准》
JGJ/T 187—2019（节选）

2.6.1　概述

为了规范塔式起重机（以下简称塔机）混凝土基础工程的设计、施工及质量验收，做到安全适用、技术先进、经济合理、确保质量，制定本标准。

本标准的主要技术内容是：（1）总则；（2）术语和符号；（3）基本规定；（4）地基计算；（5）板式和十字形基础；（6）桩基础；（7）组合式基础；（8）施工及质量验收。

本标准修订的主要技术内容是：（1）调整了复合地基承载力计算；（2）补充了板式和十字形基础的构造要求；（3）修订了桩基础的构造要求及承台计算，删除了桩基础设计实例；（4）增加了组合式基础中格构式钢柱、型钢剪刀撑、型钢平台的构造要求，调整了计算内容，增加了组合式基础设计实例；（5）调整了施工及质量验收的内容，增加了型钢平台的施工质量验收内容；（6）补充了附录 A 塔机风荷载计算表；（7）补充了附录 B 格构式钢柱缀件的构造要求。

本标准适用于建筑工程施工中固定式塔机用混凝土基础的设计、施工及质量验收。

2.6.2 重点条文解读

本节对标准中的重点条文进行解读，为便于理解，此处仍采用原标准的序号。

3. 基本规定

3.0.1 塔机的基础形式应根据工程地质、荷载与塔机稳定性要求、现场条件、技术经济指标，并结合塔机使用说明书的要求确定。

解读：塔机的固定式混凝土基础形式有矩形板式、方形板式、十字形、桩基及组合式基础，基坑内的塔机基础常用组合式基础。

3.0.2 塔机基础的设计应按独立状态下的工作状态和非工作状态的荷载分别计算。塔机基础工作状态的荷载应包括塔机和基础自重及覆土荷载、起重荷载、风荷载，并应计入可变荷载的组合系数，其中起重荷载可不计入动力系数；非工作状态下的荷载应包括塔机和基础的自重及覆土荷载、风荷载。

解读：塔机在独立状态时，所承受的水平荷载及倾覆力矩、扭矩对基础的作用效应最大；安装附墙装置后处于附着状态时，虽然塔机增加了标准节自重，但对基础设计起控制作用的水平荷载及倾覆力矩、扭矩等主要由附墙装置承担，故附着状态可不计算，本条是塔机基础设计的基本原则。

根据现行国家标准《建筑结构荷载规范》GB 50009 第5.6节的规定，设计地基基础时可不计入起重荷载的动力系数。当覆土荷载有利于抗力时，不应计入。

3.0.3 塔机工作状态的基本风压应按 $0.20kN/m^2$ 取用，风荷载作用方向应按起重力矩同向计算；非工作状态的基本风压应按现行国家标准《建筑结构荷载规范》GB 50009 中给出的50年一遇的风压取用，且不应小于 $0.35kN/m^2$，风荷载作用方向应按最不利方向作用。

解读：工作状态基本风压按国家标准《塔式起重机设计规范》GB/T 13752—2017 的规定为 $0.25kN/m^2$；按行业标准《建筑机械使用安全技术规程》JGJ 33—2012 的规定，六级及以上大风应立即停止作业，相应的基本风压为 $0.12kN/m^2$。综合上述规定，故取工作状态的基本风压为 $0.20kN/m^2$。

非工作状态时，按国家标准《高耸结构设计规范》GB 50135—2019 的规定，取当地50年一遇的基本风压，且不得小于 $0.35kN/m^2$；按行业标准《建筑机械使用安全技术规程》JGJ 33—2012 的规定，应松开回转制动器，回转部分应能自由旋转，而塔机起重臂的受风面积大于平衡臂，风荷载作用下迅速稳定时，从平衡臂吹向起重臂，实际情况也是如此。

根据国家标准《建筑结构荷载规范》GB 50009—2012 的规定，塔机基础设计不应计入阵风系数。

3.0.5 地基基础设计时所采用的作用效应与相应的抗力限值应符合下列规定：

（1）当按地基承载力确定基础底面积及埋深或按单桩承载力确定桩数时，传至基础或承台底面上的作用效应应按正常使用极限状态下作用的标准组合计算，相应的抗力应采用地基承载力特征值或单桩承载力特征值。

（2）当计算地基变形时，传至基础底面上的作用效应应按正常使用极限状态下作用的准永久组合计算，相应的限值应为地基变形允许值。

（3）当计算基坑边坡或斜坡稳定性时，作用效应应按承载能力极限状态下作用的基本组合计算，其分项系数应为 1.0。

（4）当确定基础或桩承台高度、计算基础内力、确定配筋和验算材料强度时，传给基础的作用效应和相应的基底反力应按承载能力极限状态下作用的基本组合计算，并应采用相应的分项系数。

（5）基础设计的结构重要性系数应取 1.0。

解读：根据国家标准《建筑地基基础设计规范》GB 50007—2011 的规定和塔机的使用特点，本条对设计塔机地基基础不同内容时所采用的荷载与作用的不同组合值以及相应的抗力限位作出明确的规定。

3.0.6　塔机基础设计应采用塔机使用说明书中提供的基础荷载，应包括工作状态和非工作状态的垂直荷载、水平荷载、倾覆力矩、扭矩以及非工作状态的基本风压；若非工作状态时塔机现场的基本风压大于塔机使用说明书提供的基本风压，则应按规定对风荷载换算。塔机使用说明书没有特别说明的情况下，所提供的基础荷载应作为标准组合值进行计算。

解读：非工作状态下，塔机现场的基本风压大于塔机使用说明书提供的基本风压，应按本标准的规定对风荷载引起的倾覆力矩予以换算，否则不安全；可采用简化的换算方法，将现场基本风压超出塔机使用说明书基本风压的差值按本标准的规定进行计算，并将计算所得的倾覆力矩、水平荷载分别与塔机使用说明书提供的倾覆力矩、水平荷载同向叠加。

第 7 节　《起重机　手势信号》GB/T 5082—2019（节选）

2.7.1　概述

本标准的主要技术内容是：（1）范围；（2）规范性引用文件；（3）术语和定义；（4）手势信号的要求。

本标准规定了用于起重机吊运操作的手势信号。本标准代替《起重吊运指挥信号》GB/T 5082—1985。与 GB/T 5082—1985 相比，主要技术变化如下：（1）修改了范围；（2）增加了规范性引用文件；（3）修改了术语和定义；（4）修改了手势信号的要求；（5）删除了司机使用的音响信号；（6）删除了信号的配合应用；（7）删除了对指挥人员和司机的基本要求；（8）删除了管理方面的有关规定。

2.7.2　重点条文解读

本节对标准中的重点条文进行解读，为便于理解，此处仍采用原标准的序号。

4. 手势信号的要求

4.1　总则

手势信号应符合下列要求：

（1）手势信号应合理使用，并被起重机操作人员完全理解。

（2）手势信号应清晰、简洁，以防止误解。

（3）非特殊的单臂信号可以使用任何一只手臂表示（特殊信号可以用一只左手或右手表示）。

（4）指挥人员应遵循以下规定：

1）处于安全位置；

2）应被操作人员清楚看见；

3）便于清晰观察载荷或设备。

（5）操作人员接收的手势信号只能由一个人给出，紧急停止信号除外。

（6）必要时，信号可以组合使用。

解读：《起重吊运指挥信号》GB/T 5082—1985应用长达36年，在长期的吊装作业过程中，起重作业人员对这版标准规定的信号烂熟于心；而2019年版标准规定的信号变动较大，且取消了音响信号、旗语信号，起重作业人员从了解到熟练使用要有一个过程。因此，现阶段，在吊装作业前的技术（安全）交底会议上，建议起重作业人员、起重机司机、安全员等熟悉吊装使用的信号，避免信号混乱，造成吊装事故。

第3章 新型建筑机械

第1节 超高层用建筑设备

3.1.1 大型动臂式塔式起重机

1. 动臂式塔式起重机的发展

（1）动臂式塔式起重机的起源

20世纪50年代，随着经济的发展和高层建筑比重的增加，出现了上回转、自升式、动臂式塔式起重机（以下简称动臂式塔式起重机）。例如，1958年利勃海尔推出了一种上回转、液压控制动臂变幅的HB系列"通用起重机"，起重力矩从30t·m到90t·m。该类型动臂式塔式起重机都有较短的平衡臂，在高层建筑工程中多台动臂式塔式起重机可以联合作业。与此同时，日本的石川岛（IHI）为满足本国市场的需求，开发了一种管柱塔身的动臂式塔式起重机，1958年东京第一座35层的大厦就使用了这种200t·m动臂式塔式起重机。出于抗震的考虑，日本的塔式起重机一向刚度较强，至少在200t·m以上动臂式塔式起重机中，其设计确有独到之处。例如，塔身为圆筒形而不是方形截面桁架，吊臂根部较宽，塔身节在转台中心向上加高以便塔式起重机爬升。1964年，澳大利亚的法夫可（Falco）公司推出了一种类似的动臂式塔式起重机，该机型具有100t·m以上的起重能力，不同的是它由柴油机驱动并由钢丝绳控制配重的移动。1966年，法夫可公司又突破性地开发出了一种起重量可达45t的大型自升式动臂式塔式起重机STD2700，该塔式起重机可称得上是后来所有大型自升式动臂式塔式起重机的鼻祖，美国纽约世界贸易中心施工中曾用了8台这样的动臂式塔式起重机。从某种意义上说，上回转、自升式动臂式塔式起重机的出现，标志着动臂式塔式起重机进入了一个新时代。

（2）动臂式塔式起重机的改进

高层建筑工程的快速发展，推动了各种类型动臂式塔式起重机的改进和发展。对动臂式塔式起重机而言，当动臂变幅时，会产生附加的静载力矩，平衡这一力矩会大大提高动臂式塔式起重机的起重能力。在机械上的解决方法是移动配重，即吊臂仰起时，使配重移向塔身；吊臂俯降时，使配重远离塔身。

移动式配重能耗较小，却能使动臂变幅时产生的侧向力大为降低。最初是采用钢丝绳移动配重的方法。1985年利勃海尔在500HC动臂式塔式起重机上应用了一种新型装置，替代传统的钢丝绳移动配重的方法。BKT公司更是在75t·m以上的所有型号动臂式塔式起重机上都使用了配重移动装置，其结构更加轻便，对运输非常有利。

20世纪90年代，出于降低成本的考虑，一些制造厂放弃了配重移动装置，比较典型的是法夫可公司，他们在设计上作了较大的调整，把移动式配重都改为固定式配重。其理由如下：

1）动臂变幅时产生的静载力矩靠移动式配重只能抵消20%；

2）移动式配重需要额外的检查及维护保养，成本高；

3）移动式配重的研制成本高。

到目前为止，仍有一些动臂式塔式起重机制造商坚持采用移动式配重，如派纳和BKT公司等，不过和以前相比，移动式配重设计得更加简洁。

（3）日趋紧凑的设计

动臂式塔式起重机主要用于空间狭窄的工地，如电站的整修、闹市区的高层建筑、金融商务区的改扩建等。由于施工条件特殊，空间场地狭小，要求动臂式塔式起重机尽量减小尾部配重的回转半径，因此短平衡臂的动臂式塔式起重机成为主流。同样，动臂式塔式起重机各大部件日趋紧凑，既要利于安装、拆卸，又要便于运输、存放。紧凑化设计是当今动臂式塔式起重机设计十分明显的趋势。

在小车变幅式塔式起重机仍占主导地位的今天，动臂式塔式起重机在大部分地区还处于配角地位，不过动臂式塔式起重机有着小车变幅式塔式起重机不可替代的优越性。从世界范围看，动臂式塔式起重机不但没有过时，反而在许多国家有流行的趋势。可以预见，随着世界经济的发展、城市建筑密集度的加大，动臂式塔式起重机将发挥越来越大的作用。

2. 典型动臂式塔式起重机介绍

ZSL3200动臂自升式塔式起重机是我国生产的一种新型无级调速塔式起重机。该型动臂式塔式起重机最大力矩为3200t·m。臂长53.78m，共有4节组成。最大吊重为100t，最大起吊范围50m，最大幅度吊重55.6t。内爬式独立起升高度56m。外形结构见图3-1，具体性能参数见表3-1。

图 3-1 ZSL3200 外形结构图

除采用内爬式安装外，根据工程项目特点，ZSL3200动臂式塔式起重机还可以采用外附式安装方式，必要时还可以加上行走装置。此外，其起升高度最高可达450m，最大起重量达 100t，工作半径达 50m，且安装拆卸便捷。所以，此类动臂式塔式起重机可以广泛运用于高层钢结构建筑、大面积钢结构、火电、石化、桥梁及大型机电设备安装等高、大、难、多、精工程的起重吊装中。

ZSL3200 塔式起重机技术参数表　　表 3-1

项目名称		设计值	备注
最大起重力矩(kN·m)		3200	
最大额定起重量(t)		100	
最大起重量时允许最大幅度(m)		32	
最大工作幅度(m)		50	
最大幅度时额定起重量(t)		55.6	
最小工作幅度(m)		5.3	
塔身高度	固定外爬式(m)	400	
	内爬式(m)	56	
起升机构	倍率	$\alpha=1/\alpha=2$	液压无级调速控制
	卷扬速度(m/min)	0～100	
	对应最大起重量(t)	0～100	
	最低稳定下降速度(m/min)	1	
回转机构	回转速度(r/min)	0～0.7	液压无级调速控制
变幅机构	变幅速度(min/全程)	3.2	液压无级调速控制
顶升机构	额定顶升速度(m/min)	0～0.5	开式液压无级传动
	额定工作压力(MPa)	28	
平衡重	平衡臂回转半径(m)	11.8	
	相应平衡重(t)	116	
标准节外形尺寸(m)		4.0×3.6×3.6	
起重臂外形尺寸(m)		13.2×3.2×3.2	
整机总质量(不含配重)(t)		350	内爬式
整机功率(kW)		495	

（1）ZSL3200 动臂自升式塔式起重机的特点

与一般动臂式塔式起重机相比，它具有调速性能好、电气自动化程度高、塔式起重机结构新颖等优点，此外还具有以下几个特点：

1）整套系统由 PLC（可编程逻辑控制器）监控，便于实现自动保护，也便于查找故障。配合司机室内人机界面（触摸式显示屏），自动化程度高，便于司机了解塔式起重机工作状况，以及安全操作。

2）主吊、回转、变幅系统均为闭式液压系统。其采用了先导控制，冲击小，运行平稳，操作简便。主吊和变幅系统同时引进马达变量调速技术，实现重载低速、轻载高速，使得工作效率有了大幅度提高。

3）动臂式塔式起重机爬高或降低，采用液压顶升装置来完成，操作平稳、安全。

4）主要电气控制元件采用进口元件，以提高寿命和可靠性。

5）塔身由顶升节、加强节、标准节组成，其截面尺寸相同。塔身各节之间采用高强度螺栓连接，安拆十分方便、快捷。

6）操作室采用人机工程设计、制造，内设操作台、冷暖空调，视野开阔，操作舒适。

7）安全保护装置齐全，设有人机界面、力矩保护、超重限位、幅度限位、保护制动器等多种安全保护装置，安全保障优良。

（2）ZSL3200动臂自升式塔式起重机机构的工作原理

根据机构的工作性质，塔式起重机可分为四大机构：起升机构、回转机构、变幅机构、爬升机构。

该动臂式塔式起重机由一台495kW柴油机驱动，最高转速1600r/min。其动力经分动箱、油泵、马达、减速机传到各执行机构，分别实现货物升降、变幅、塔式起重机回转和爬升动作。

该动臂式塔式起重机的起升、变幅、回转均采用闭式液压系统，利用先导阀来控制，控制油源来自于相应泵的补油泵。

该动臂式塔式起重机的爬升采用开式液压系统，由电动机驱动柱塞泵，由手动比例换向阀控制顶升油缸的伸缩杆。

刹车油源来自于一台与回转泵同轴驱动的齿轮泵。动力驱动示意见图3-2。

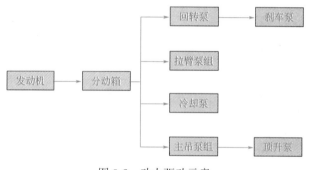

图3-2　动力驱动示意

1）起升系统

起升系统用来实现货物的升降，是起重机中最重要、最基本的机构，它主要由驱动装置、传动装置、卷绕系统、取物装置和制动装置组成。此外根据需要还可以装设各种辅助装置，如限位开关、起重量限制器、起重力矩限制器等。

该动臂式塔式起重机起升系统采用液压无级调速系统，实现重载低速、轻载高速。其效率高，慢就位性能好，操作简便，使得起升性能有了大幅度提高。

主吊起升系统的逻辑示意见图3-3。

2）变幅系统

变幅系统用来实现动臂式塔式起重机起吊臂的抬高或下降，从而改变吊重与动臂式塔式起重机本体之间的距离大小，它主要由驱动装置、传动装置、钢丝绳卷绕系统、滑轮组和制动装置组成。此外根据需要还可以装设各种辅助装置，如限位开关、起吊臂防后倾装置等。

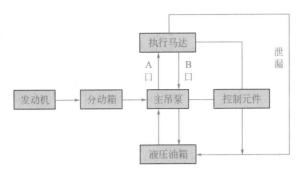

图 3-3　起升系统的逻辑示意

该动臂式塔式起重机变幅系统采用液压无级调速系统，根据起吊臂角度和吊重大小不同的变化实现速度和工作压力的最佳配比，运行效率高，操作简便。

变幅系统的逻辑示意见图 3-4。

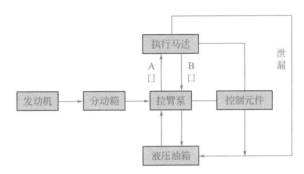

图 3-4　变幅系统的逻辑示意

3）回转系统

回转系统用来实现塔式起重机自身的旋转动作，实现吊重围绕塔式起重机本身的左右就位，它主要由驱动装置、传动装置和制动装置组成。

当动臂式塔式起重机起吊臂角度和起吊重量不同时，动臂式塔式起重机本身的不平衡力矩便会不同。该动臂式塔式起重机回转系统采用液压无级调速系统，根据起吊臂角度和吊重大小不同的变化实现速度和工作压力的最佳配比，运行效率高，操作简便。

回转系统的逻辑示意见图 3-5。

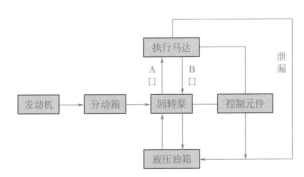

图 3-5　回转系统的逻辑示意

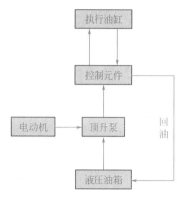

图 3-6　顶升原理示意

4）顶升系统

顶升是开式液压系统，由电机驱动一柱塞泵，泵出口接手动比例换向阀 P 口，阀 A、B 口分别连接顶升油缸无杆腔和有杆腔来控制油缸的伸缩杆。

顶升油缸为两只油缸，为防止意外事故出现，在油缸的高压腔入口处装有防爆阀，一旦油管破裂或是顶升缸出现故障，防爆阀动作，将缸内高压腔液压油锁住，确保塔式起重机安全。

顶升原理示意见图 3-6。

（3）起重性能（表 3-2、图 3-7）

ZSL3200 动臂式塔式起重机起重性能表　　　　表 3-2

R(m)	倍率 Fall	R(Gmax)(m)	Gmax(t)	35	40	45	50	55	60	65
65	⊘	8.0～52.5	50.0	50.0	50.0	50.0	50.0	46.2	40.3	35.3
65	⊘	8.0～31.3	100.0	86.8	72.9	62.0	53.3	46.2	40.3	35.3
60	⊘	7.5～53.3	50.0	50.0	50.0	50.0	50.0	47.8	41.8	—
60	⊘	7.5～31.7	100.0	88.4	74.4	63.5	54.8	47.8	41.8	—
55	⊘	7.0～54.0	50.0	50.0	50.0	50.0	50.0	48.8	—	—
55	⊘	7.0～31.9	100.0	89.4	75.4	64.6	55.9	48.8	—	—
50	⊘	6.5～50.0	50.0	50.0	50.0	50.0	50.0	—	—	—
50	⊘	6.5～32.0	100.0	89.5	75.5	64.7	56.0	—	—	—

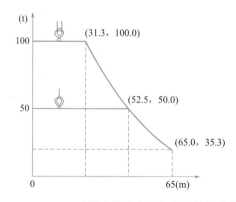

图 3-7　ZSL3200 动臂式塔式起重机起重性能曲线图

3. 动臂式塔式起重机安全要求

（1）资料管理

施工企业或动臂式塔式起重机机主应将动臂式塔式起重机的生产许可证、产品合格证、安装资质证、使用说明书、电气原理图、液压系统图、司机操作证、拆装方案、安全技术交底、主要零部件质量保证书（钢丝绳、高强连接螺栓及主要电气元件等）报给起重机械检测机构，经起重机械检测机构检测合格后，获得安全使用证。在日常使用中要加强对动臂式塔式起重机的动态跟踪管理，做好台班记录、检查记录和维修保养记录（包括小修、中修、大修）并有相关责任人签字，在维修的过程中所更换的材料及易损件要有合格证或质量保证书，并将上述材料及时整理归档，建立一机一档台账。

（2）动臂式塔式起重机拆装管理

动臂式塔式起重机的拆装是事故的多发阶段。因拆装不当和安装质量不合格而引起的安全事故占有很大的比重。动臂式塔式起重机拆装必须由具有资质的拆装单位进行作业，而且要在资质范围内从事安装拆卸。拆装人员要经过专门的业务培训，有一定的拆装经验并持证上岗，同时要各工种人员齐全，岗位明确，各司其职，听从统一指挥，在调试的过程中，专业电工的技术水平和责任心很重要，电工要持电工证和起重工证。拆装要编制专项的拆装方案，方案要有安装单位技术负责人审核签字，设置拆装的警戒区和警戒线，安排专人指挥，无关人员禁止入场，严格按照拆装程序和说明书的要求进行作业，当遇风力超过四级，动臂式塔式起重机要停止拆装，风力超过六级要停止起重作业。特殊情况确实需要在夜间作业的，要有足够的照明，要与起重机司机就有关拆装的程序和注意事项进行充分的协商并达成共识。

（3）动臂式塔式起重机安全距离

动臂式塔式起重机在平面布置的时候应绘制平面图，在水平和垂直两个方向上都要保证不少于 2m 的安全距离，相邻塔式起重机的塔身和起重臂不能发生干涉，尽量保证动臂式塔式起重机在风力过大时能自由旋转。动臂式塔式起重机平衡臂与相邻建筑物之间的安全距离不少于 50cm。与输电线之间的安全距离符合要求。

动臂式塔式起重机与输电线的安全距离不达规定要求的应搭设防护架，防护架搭设原则上应停电搭设，不得使用金属材料，可使用竹竿等材料。竹竿与输电线的距离不得小于 1m 且应有一定的稳定性，防止大风吹倒。

（4）动臂式塔式起重机安全装置

为了保证动臂式塔式起重机的正常与安全使用，必须强制性要求动臂式塔式起重机安装具备规定的安全装置，主要有：起重力矩限制器、起重量限制器、高度限位装置、幅度限位器、回转限位器、吊钩保险装置、卷筒保险装置、风向风速仪、钢丝绳防脱槽装置等。这些安全装置应确保其完好与灵敏可靠。在使用中如发现损坏应及时维修更换，不得私自解除或任意调节。

（5）动臂式塔式起重机稳定性

动臂式塔式起重机一般安装高度较高，且塔身的重心高、扭矩大、起制动频繁、冲击力大，影响了其稳定性。造成动臂式塔式起重机倾翻的主要原因有以下几条：

1）超载。不同型号的动臂式塔式起重机通常采用起重力矩为主控制，当工作幅度加大或重物超过相应的额定荷载时，重物的倾覆力矩超过其稳定力矩，就有可能造成动臂式塔式起重机倒塌。

2）斜吊。斜吊重物时会加大它的倾覆力矩，起吊点处会产生水平分力和垂直分力，动臂式塔式起重机底部支承点会产生一个附加的倾覆力矩，从而减少了稳定系数，造成塔式起重机倒塌。

3）动臂式塔式起重机垂直度偏差过大也会造成其倾覆力矩增大，使动臂式塔式起重机稳定性降低。因此，要从这些关键性的因素出发来严格检查检测把关，预防重大的设备人身安全事故。

4）动臂式塔式起重机的变幅系统为柔性拉索系统，由于其柔性拉索的弹性作用，当臂架处于最小幅度突然卸载时，极易导致臂架后倾，甚至发生整机倾翻的危险事故。

5）台风影响。近年来国内外超高层建筑施工中因台风致使塔式起重机倾翻的施工安全事故时有发生。

（6）动臂式塔式起重机电气安全

按照《建筑施工安全检查标准》JGJ 59—2011 要求，动臂式塔式起重机的专用开关箱也要满足"一机一闸一漏一箱"的要求，漏电保护器的脱扣额定动作电流应不大于30mA，额定动作时间不超过 0.1s。司机室里的配电盘不得裸露在外。电气柜应完好，关闭严密、门锁齐全，柜内电气元件应完好，线路清晰，操作控制机构灵敏可靠，各限位开关性能良好，定期安排专业电工进行检查维修。

（7）动臂式塔式起重机附墙装置

当动臂式塔式起重机超过其独立高度时要架设附墙装置，以增加其稳定性。附墙装置要按照动臂式塔式起重机说明书的要求架设，附墙间距和附墙点以上的自由高度不能任意超长，超长的附墙支撑应另外设计并有计算书，进行强度和稳定性的验算。附着框架保持水平、固定牢靠与附着杆在同一水平面上，与建筑物之间连接牢固，附着后附着点以下塔身的垂直度不大于 2/1000，附着点以上垂直度不大于 4/1000。与建筑物的连接点应选在混凝土柱上或混凝土圈梁上。用预埋件或过墙螺栓与建筑物结构有效连接。有些施工企业用膨胀螺栓代替预埋件，或用缆风绳代替附着支撑，这些都是十分危险的。

（8）动臂式塔式起重机安全操作

动臂式塔式起重机管理的关键还是对司机的管理。操作人员必须身体健康，了解机械构造和工作原理，熟悉机械原理、保养规则，持证上岗。司机必须按规定对起重机做好保养工作，有高度的责任心，认真做好清洁、润滑、紧固、调整、防腐等工作，不得酒后作业，不得带病或疲劳作业，严格按照塔式起重机机械操作规程和塔式起重机"十不准、十不吊"进行操作，不得违章作业、野蛮操作，有权拒绝违章指挥，夜间作业应有足够的照明。

（9）动臂式塔式起重机安全检查

动臂式塔式起重机在安装前后和日常使用中都应对其进行检查。金属结构焊缝不得开裂，金属结构不得塑性变形，连接螺栓、销轴质量符合要求，应有止退、防松的措施，连接螺栓应定期安排人员预紧，钢丝绳润滑保养良好，断丝数不得超标，绝不允许断股，不得塑性变形，绳卡接头符合标准，减速箱和油缸不得漏油，液压系统压力正常，刹车制动和限位保险灵敏可靠，传动机构润滑良好，安全装置齐全可靠，电气控制线路绝缘良好。尤其要督促动臂式塔式起重机司机、维修电工和机械维修工经常进行检查，应着重检查钢丝绳、吊钩、各传动件、限位保险装置等易损件，发现问题立即处理，做到定人、定时间、定措施，杜绝机械带病作业。

（10）起重吊装中要坚持"十不吊"规定

1）指挥信号不明或违章指挥不吊。

2）斜拉工件或超长超大工件无牵引绳不吊。

3）吊物重量不明或超负荷不吊。

4）散物捆扎不牢或捆扎不稳不吊。

5）吊物上有人或吊钩直接挂在重物上不吊。

6）工件埋在地下或冻住不吊。

7）机械安全装置失灵或带病时不吊。

8）现场光线阴暗看不清吊物起落点不吊。

9）棱角物与钢丝绳直接接触无保护措施不吊。

10）六级以上风及雷雨天、大雾天、大雪天不吊。

3.1.2　附着式电动施工平台

在建筑施工领域，广泛使用的各种类型脚手架一般存在使用材料多、搭设时间长、操作平台高度不便于施工操作、施工材料不便于传送、安全施工隐患多等诸多问题，尤其在高层、超高层工程中更为突出；工程施工中采用电动吊篮，也存在操作架体不稳定、架体长度较短、危险性较大等问题。附着式电动施工平台是一种大型自升降式高空作业平台。其可替代钢、竹、木脚手架及电动吊篮，用于高空工程施工，尤其适合装修作业。仅需搭设一个平台，沿附着在建筑物上的立柱通过齿轮齿条传动方式实现升降，平台运行平稳，且可节省大量材料；操作控制箱安装在工作平台上，操作方便；施工人员可根据工作需要把工作平台升降到理想的高度，便于作业人员以最舒适的姿势进行施工，极大地提高了作业效率，减轻了劳动强度；多项智能及安全控制器的使用，确保使用安全可靠；该平台使升降机和工作平台合二为一，在为施工人员提供操作平台的同时也解决了材料的运输问题。

附着式电动施工平台在国外已经是一门很成熟的施工技术，它广泛地应用于各种高度的装修施工中。在我国，随着劳动力成本的不断提高和对施工环境的更高要求，这种施工技术也越来越多地在工程中得到应用。附着式电动施工平台自 2009 年 9 月通过住房和城乡建设部科技成果认证，相继在北京、内蒙古、安徽、河南等地应用，成为国内发展趋势。

由于附着式电动施工平台具有噪声低（机械运行状态下噪声小于 79dB），电动传动不产生废气污染环境，不存在热伤害、辐射伤害、静电伤害等显著特征，从环境效益来看，它是一种节能环保设备。

附着式电动施工平台的显著特点就是高效、安全、一机多用，它既解决了普通升降机速度慢、功能单一的问题，又解决了建筑施工领域广泛使用的各种类型脚手架一般存在的材料多、搭设时间长、操作平台高度不便于施工操作、施工材料不便于传送、安全施工隐患多等诸多问题，具有显著的社会效益。

1. 应用范围

（1）各种高层建筑的外墙施工（装饰、装修、喷砂、堆砌）。

（2）玻璃幕墙施工、清洁、维护。

（3）砌砖、石材和预制构件的安装。

（4）结构施工时材料的运输。

（5）高大烟囱、桥梁墩柱等土建结构施工。

2. 典型附着式电动施工平台主要技术参数（表 3-3、图 3-8～图 3-10）

附着式电动施工平台主要技术参数　　　　　　　　　　表 3-3

平台项目	MC-36/15 双柱型	MC-36/15 单柱型
最大高度	180m	180m
第一道附墙与地面最大间距	6m	6m
最大荷载	36kN	15kN
附墙间最大间距	6m	6m
最多承载人数	5	3
平台最大长度	30.10m	9.8m
平台宽度	1.35m	1.35m
平台最大伸展宽度	0.95m	0.95m
升降速度	6.0m/min	6.0m/min

图 3-8　双柱型附着式电动施工平台

3. 产品介绍及性能指标

电动施工升降平台是一种靠齿轮、齿条传动的升降机械，有着非常可靠的电气和机械安全系统，它可随着建筑物的升高而自行升高，平台可根据需要而加长或缩短。施工升降平台在安装、使用时不用预制基础，移动时只需拆除部分立柱和附墙，通过底部的轮子很方便地更换作业地点。该产品有双柱型和单柱型两种。

（1）操作舒适，提高工效。平台可停靠在任意需要的位置，使操作人员具有最佳、最舒适的工作姿势，进一步降低劳动强度，提高工效。

（2）互不干涉，工期有保障。安装平台不像吊篮等需屋面完工才能开始，结构施工时即可自底部开始安装进行装修作业，同其他工序互不干涉，可提前工期；对既有建筑物的装修改造，也不像落地式脚手架会影响建筑物内的人员生产、生活。

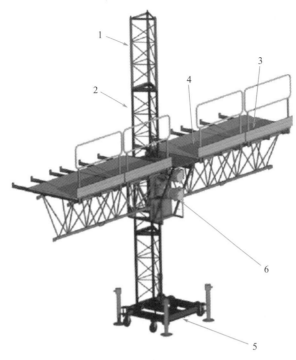

图 3-9　附着式电动施工平台的构成

1—顶立柱；2—标准立柱；3—1m 平台；4—1.5m 平台；5—底座；6—驱动器

图 3-10　附着式电动施工平台底座

（3）兼运人、料，综合高效。可兼作材料和人员运输，减少塔式起重机和施工电梯的运输压力，综合提高工效。

4. 附着式电动施工平台的性能与同类产品比较

（1）同吊篮相比较。吊篮作为施工外用脚手架，主要使用在高层和多层建筑施工中的主体外墙抹灰、贴砖、刷涂料、玻璃幕墙的安装和清洗。随着城市高层建筑的发展以及外墙装修、清洗队伍的不断扩大，高处外墙悬挂式吊篮施工的安全问题不可避免地摆在我们的面前。

吊篮脚手架结构特征的不合理，安装不规范，缺少防倾斜、防坠落安全装置等不利因素，再加上安全管理不到位，致使吊篮和操作人员坠落的事故屡有发生。与之相比，附着式电动施工平台的优势更为突出：

1）升降形式上，吊篮是用钢丝绳从建筑物顶部通过悬挂机构沿建筑物立面使工作平台垂直升降；附着式电动施工平台由立柱支撑在可靠支撑基础上且附着于建筑物上，工作平台沿立柱由齿轮、齿条机械传动使工作平台垂直升降，升降由设备控制，同步准确、可靠。国外已使用多年，国内也有多个工程实例，较少出现安全事故，故附着式电动施工平台的平稳性、可靠性、安全性比吊篮优势突出。

2）功能上，吊篮以载人为目的，对主体外墙进行抹灰、贴砖、刷涂料、玻璃幕墙的安装和清洗等操作；附着式电动施工平台具有一机多用功能，不仅为施工人员提供操作平台和安全防护，且其承载能力远大于吊篮，兼顾了施工材料的运输功能，达到装饰施工与结构施工的多重目的。

3）应用范围上，附着式电动施工平台也适用于各种桥梁高墩、大坝、电站及特种结构高耸构筑物施工的外脚手架，大型机械设备修理用操作平台，应用范围更宽更广。

4）附着式电动施工平台搭设后工作平台作业面积宽阔，可以为工人提供稳定、可靠、舒适、宽阔的施工作业环境，人工工效远远优于吊篮。

5）由于附着式电动施工平台搭有牢固可靠的附墙固定装置，施工作业时工人施力方便，且在有附墙状态时，六七级风的情况下，可以照常工作，这是吊篮无法比拟的优势。

6）附着式电动施工平台在结构设计上具有多重安全保护手段：

① 电控方面超载时启动报警并跳闸，绝对不会超载运行；

② 每个立柱上两台驱动装置分力咬合齿条升降，每个电机装有断电制动器，提高了安全系数，如果单台电驱动装置出故障的概率为万分之一，两台装置同步运行故障率就降到了千万分之一，安全可靠性更高；

③ 单独装配了一套渐进式超速安全防坠离合器，当两台电驱动制动装置在千万分之一的概率同时失效时，还可以保证平台以安全速度下降并逐渐停止，故安全性能上远远高于吊篮。

（2）同附着式升降脚手架相比较。国内建筑工程外墙施工现多采用附着式升降脚手架（简称爬架），附着式电动施工平台类似于爬架，均属于建筑物外墙施工机械，但主要区别为：

1）爬架的架体附着于建筑物外墙，由架体沿导轨爬升进行施工作业；附着式电动施工平台由立柱支撑在可靠支撑基础上，由工作平台载人载物沿立柱爬升进行施工作业。同时，爬架受建筑物外形影响较大；而附着式电动施工平台基本能满足国内外现有的绝大多数建筑物外形的要求。

2）爬架主要在外墙结构施工时，为施工人员提供操作平台，为施工提供安全防护；附着式电动施工平台除能满足爬架的所有功能外，兼顾施工材料的运输功能。

3）爬架的搭设要求整体性强，成片或周圈搭设；附着式电动施工平台搭设时，可根据施工要求进行单立柱、双立柱或多立柱不同形式的组合搭设，灵活多变，适应不同施工要求。同时，爬架的架体对建筑物的连墙点的位置要求高，而且连接点较多；而附着式电动施工平台搭设时对建筑物的连墙点的位置要求更灵活，而且数量远远低于爬架，在外墙施工中优势明显。

5. 附着式电动施工平台的特点

（1）装拆快速，节省人工，构件标准化、规格少，重量轻，工人劳动强度低，在地面装平台，在平台上装立柱，装拆方便，工效高，30m×30m 一组平台仅需两人一天即可完成，且不需任何其他设备，比扣件式脚手架至少快 10 倍。

（2）平台升降方便，节省材料。仅搭设一个可升降的操作平台，可以满足任何位置的施工需求，可节约大量钢材。按 1000m 计算，扣件式钢管脚手架约需 22t，而电动施工平台仅需 5t，可节约 80%。

（3）多重保险，安全可靠。

1）双电机驱动，驱动双保险；

2）设有超速缓冲防坠系统；

3）设有平台自动调平系统，保证平台水平同步升降；

4）设有门控安全系统，确保门开启时断电不运行；

5）设有上限开关，避免正常使用时平台脱离立柱；

6）设有超上限开关，避免安装时平台脱离立柱；

7）设有手动下降开关，使断电时人员能安全撤离；

8）控制柜具有防高压、低压及过载保护功能；

9）平台上防护齐全，脚手板冲小孔防滑防落物伤人；

10）伸缩平台可将操作台设至任何需要的位置，便于操作防护。

（4）附着式电动施工平台电控工作平台的升降根据工作需要可随时调整，便于任意施工部位的施工；而爬架的升降基本属于不可逆的，对施工组织要求更高。

（5）附着式电动施工平台更适用于已建建筑的外饰面翻新、装修、装饰、喷砂、镶贴、清洁、维护等施工。

（6）附着式电动施工平台结构上采用模块式设计，安装、拆卸、施工转场、运输方便。

综上所述，研制、引进、推广此项产品，将其运用于建筑业，有利于改变我国建筑业设备装备水平落后、劳动生产率不高的面貌，有利于推动我国建筑业的发展，具有十分重大的社会和经济意义。

6. 附着式电动施工平台的安全要求

（1）附着式电动施工平台上所承载的物料和人员，不允许超过平台允许荷载。

（2）附着式电动施工平台在升降过程中，人员和物料应均衡放置。

（3）出现紧急情况时，及时按下附着式电动施工平台控制箱上的紧急停止按钮。

（4）当有大风时，停止使用附着式电动施工平台。

（5）当需要将附着式电动施工平台从工地的一个地方移到另一个地方时，一定要拆除所有构件，并使用足够的人员和适当的起重设备配备进行。

（6）如果地基承载力不足，应在附着式电动施工平台可调支腿下垫50mm厚木板，底座一定要保持水平，每次升降前，先查看支腿是否在正确位置。

（7）当需要加宽附着式电动施工平台时，应在最底部操作，避免高处作业，如确实需要高处作业，一定要挂好安全带。

（8）注意不要在高压线附近使用附着式电动施工平台。

（9）不允许在承载力不明的结构上使用附着式电动施工平台。

（10）附着式电动施工平台如有附墙，在风速不超过15.5m/s时可以使用；如没有附墙，在风速小于12.7m/s时可以使用。

（11）严禁攀爬护栏，不允许站在高于护栏的工作面上，特殊情况应采取特殊的保护措施。

（12）无论附着式电动施工平台处于上升、下降还是停止状态，一定要关闭安全门。

（13）及时清理附着式电动施工平台上的杂物。

（14）使用前必须检查附着式电动施工平台上所有的安全装置和电控系统。

（15）工作结束后将附着式电动施工平台下降到最低位置，并确保外人无法操作附着式电动施工平台。必要时，将电控箱和电缆线摘除。

3.1.3　全自动数控钢筋弯箍机

电脑数控全自动钢筋弯箍机通过全智能高集成控制实现了钢筋送料、去氧化皮、校直延伸、弯曲成型、切断多种工艺的单机一体化，能直接制作多种尺寸、多种规格的箍筋，达到了设计要求。

全自动钢筋弯箍机生产设备（图3-11），采用智能控制，可以加工多种尺寸、多种规格的方形、矩形、菱形、多边形等箍筋，同时具有校直功能，一机多用。

图3-11　全自动钢筋弯箍机

1. 适用范围

主要适用于建筑冷轧带肋钢筋、热轧三级钢筋、冷轧光圆钢筋和热轧盘圆钢筋的弯钩和弯箍。自动弯箍机，具有设备使用故障率低，弯曲钢筋速度快，耗能低不损肋，噪声小、振动轻，高效适用、运行可靠等特点，双人操作，轻便灵活，工效是手工弯曲的 3～5 倍。

2. 机构说明

（1）折弯成型机构：主要负责箍筋的成型。将送至的钢筋弯折成所设定的形状。折弯的动力来源是一个伺服马达。可以正反双向弯折钢筋，自由控制芯轴伸缩、上下以及更换芯轴大小。

（2）快速剪切机构：主要负责钢筋成型后的剪切动作，由马达和气动刹车离合构成。在得到剪切信号后瞬间完成剪切动作。动作方便快捷。

（3）垂直整直机构：主要是调整钢筋的垂直方向直线度。采用的是对辊式的调直方式。只需调整各组滚轮的深浅程度，就可以很方便地调直钢筋的垂直方向。

（4）自动送料机构：主要负责钢筋在弯箍过程中的送线动作。由伺服马达带动两组滚轮完成送线的动作。动作准确快捷。

（5）水平整直机构：主要是调整钢筋的水平方向直线度。该机构配有自动入料装置，由汽缸来压紧滚轮的前进和后退，主动滚轮由电机驱动，电机作用带动钢筋入料。

（6）放线架：主要负责存放待加工的线材，分为标准型和加重型两种，其中，标准型放线架总高 1600mm，中心直径为 400mm，最大外圆为 1600mm，最多可存放 500kg 线材。

（7）整机操作台：本机控制台，由专用 CNC 系统和按钮开关组成。CNC 系统具有自动生成图形、计数等功能，操作界面图形化更加直观，人性化、易操作，自动识别故障和报警功能，可以更加方便快捷地维护设备。

3. 安全操作规程

（1）接通电源、气源。

（2）分别单步测试各机构动作，观察其运转是否正常。

（3）在确保其无异常情况后，方可联机启动。

（4）联机启动后，严禁开机状态身体靠近或用手触摸机器，钢筋的伸出前方不允许站人，防止意外危险。

（5）操作台上的急停开关应始终处于容易控制状态，周围空间要足够大。

（6）气管路中的压缩空气的压力通过调压过滤器进行调整，压力应从小到大逐步调整，不可速度过快，具体操作如下：先将转动旋钮拉起，向右旋转为调高出口压力（反之向左旋转为调低出口压力），在调节压力时，应逐步均匀地调至所需压力值。该机构的压缩空气的压力应在 0.4～0.6MPa 之间，不可过高或过低，气压过高可能冲击很大，对气动元器件造成不良后果，气压过低会使气动元器件执行速度过慢而影响生产。同时由于过滤器的部分材质为 PC 材料，严禁接近或在有机溶剂环境中使用。当出口压缩空气流量明显减少时应立即更换滤芯。

4. 安全维护规程

（1）机器在维护、维修、清洁或者调整时，应在操作台处悬挂（置放）"正在检修，禁止操作"的警示牌，防止因不知情错误操作造成人身设备伤害。

（2）检修气动元器件必须断电、关掉气源，并将管路中剩余的压缩空气排出，同时应在操作台处悬挂（置放）"正在检修，禁止操作"的警示牌，才能进行检修，以免造成人身设备伤害。

（3）在检查维修主机内部时，特别是两同步带传动机构，要断掉系统开关和电源，不可把手和身体的其他部位伸到带轮和皮带中，否则会造成严重的安全事故。检查维修完好，装好防护罩。

（4）为保证气动元器件的正常使用，延长其使用寿命，对气管路的压缩空气应进行过滤和干燥，定期对管路进行放水。

（5）电气系统的安装与维护必须由专业电工人员来操作，并且要佩戴绝缘手套、绝缘鞋和专业的安装工具。为防止触电，机器必须严格接地。

（6）伺服电机在使用和检修过程中严禁捶击或用其他物品进行撞击，以免损坏电机。

3.1.4 砂浆自动喷涂抹灰机

1. 产品优点

（1）基本没有落地灰，省水、省料，可降低成本 20％以上。

（2）操作简单。不需搭脚手架，不用移动设备，可用遥控随意开、关机，不用修补搭茬，阴阳角、顶板均能自由喷涂，缩短了工期，提高了进度，又节约了架体材料费用的支出。

（3）速度快，效率高，劳动强度低。一台（GLP-311）喷涂泵每小时可轻松喷涂 $150m^2$。除准备时间外，按每天工作 8h 计算，可喷涂 $1000m^2$ 以上，相当于 20 个熟练工苦干一天的工作量。

（4）投资小，收益大。若每天每台（GLP-311）设备喷涂 $1000m^2$，按市场均价 4 元/m^2 计算，除去工人工资约 500 元，每天每台设备可获利 3000 元，除去其他因素，一年收入 50 万元以上。

（5）工程质量有保证。人工粉刷主要缺点是砂浆和墙体的粘结度及砂浆的密实度低，喷涂设备流量大、压力高（可达 3MPa），克服了上述缺点，砂浆密实度远远超过了国家规定的标准，避免了因质量、工期、工价等造成的麻烦和损失。

（6）一机多用。能喷涂砂浆、防火材料、耐火材料，还能输送砂浆，不受地区和环境条件及喷涂面形状限制。

2. 技术参数（以 GLP-311 为例）（表 3-4）

GLP-311 主要技术参数　　　　　　　　　　　　　　　　　　　表 3-4

工作电压/动力	输送流量	输送距离	输送高度	通过颗粒	料斗容积	空压机	整机重量	最大压力
380V/7.5kW	$3m^3/h$	50m	15m	<4mm	50L	$0.3m^3/h$	340kg	3MPa

3. 安全要求

（1）高处作业时，应符合现行行业标准《建筑施工高处作业安全技术规范》JGJ 80 的有关规定。施工前，应进行安全检查，合格后方可施工。

（2）施工前，应检查垂直输浆管的固定方式是否安全以及是否固定牢靠。

（3）从事高处作业的施工人员，应经过体检，其健康状况应符合高处作业的有关要求。

（4）在雷雨、暴风雨、风力大于六级等恶劣天气时，不得进行室外高处作业。

（5）机械设备传动机构外露部分应有安全防护装置。

（6）当采用电气方法在喷涂操作端控制设备启停时，其控制电压应低于 36V，并满足防水要求。

（7）电动机、电气控制箱及电气装置，应符合现行行业标准《施工现场临时用电安全技术规范》JGJ 46 的有关规定。

（8）喷涂前作业人员应正确穿戴工作服、防滑鞋、安全帽、安全防护眼镜等安全防护用品，高处作业时，必须系好安全带。

（9）喷涂作业前，应试运转喷涂设备，检查喷嘴是否堵塞。检查时，应使枪口朝向空地。

（10）喷涂作业时，严禁将喷枪口对人。当喷枪管道堵塞时，应先停机卸压，避开人群进行拆卸排除，卸压前严禁敲打或晃动管道。

（11）在喷涂过程中，宜设专人协助喷枪手移动管道，并应定时检查输浆管道连接处是否松动。

（12）润滑用浆液与落地灰应及时收集，并宜妥善利用，减少废弃物排放量，但落地灰不得再次用于喷涂抹灰。

（13）清洗输浆管时，应先卸压，后进行清洗。

（14）喷涂设备和喷枪应按设备说明书要求由专人操作、管理与保养。工作前，应做好安全检查。

（15）喷涂前应检查超载安全装置，喷涂时应监视压力表升降变化，以防止超载危及安全。

（16）非专职检修人员不得拆卸或调整安全装置。

（17）不得在设备使用的同时进行维修；设备出现故障时，不得继续运转。

（18）设备检修清理时，应切断电源，并挂牌示意或设专人看护。

3.1.5　钢管调直机

钢管调直机是建筑扣件式钢管脚手架钢管的保养机械，主要用于矫直修复在建筑施工中弯曲变形的脚手架钢管及其他管材。调直后的钢管表面无压痕、缩径现象，优于标准要求。设备可同时清理钢管表面的灰垢和锈垢，并进行刷漆，解决了钢管经过长时间日晒雨淋，生锈腐蚀，管壁变薄，在施工、拆卸、搬运中容易弯曲，不能使用，造成脚手架钢管搭设安全隐患等问题。机器具有调直、除锈、刷漆三合一体的功能，大大降低了人工体力劳动，提升了工作效率。

1. 适用范围

滚压钢管调直机具有不同的辊，其设计结构合理，加之快速调节式除锈装置、出灰筒设计等，操作方便、安全可靠，主要适用于脚手架钢管的调直除锈上漆。它通过旋转装置来达到调直目的，调直效果好。

2. 技术数据（表 3-5、图 3-12）

常用钢管调直机参数表　　　　　　　　　　　　　表 3-5

序号	项目	规格参数
1	矫管直径	48mm
2	输出速度	12m/min

续表

序号	项目	规格参数
3	电机型号	Y-4
4	功率	4kW＋4kW
5	转速	1430rpm
6	减速器型号	JEQ-250
7	油泵	DB50-120W
8	机器重量	960kg

图 3-12　钢管调直机

3. 工作原理

主要传动是由电机带动减速器减速后带动上、下钢轮，再通过链条连接带动其余钢轮转动，随着钢轮矫直旋转，再由两个清刷器高速旋转，将矫直后的钢管表面锈蚀和残留泥灰浆等全部清除干净，最后通过喷油装置完成对钢管涂漆翻新工作。

4. 调直步骤

（1）钢管上有大块附着物时需先清除。

（2）启动机器。

（3）弯曲的钢管弯头向上或向下放入机器调直。

（4）拉动手柄使偏心角度定位保持不变，旋转手轮使调直压块下压到调直位置。

5. 适用场所

用于调直修复在建筑施工中弯曲变形的钢管，调直后的钢管表面无压痕、缩径现象，优于标准要求（每米弯曲度少于千分之一）。钢管调直机是建筑施工企业、建筑钢管租赁企业、脚手架施工单位的理想机械设备。钢管调直机由调直系统、除锈机、刷漆箱三部分紧密地结合在一起，可以单独调直，也可以进行钢管调直除锈双项功能作业，如果需要给钢管刷漆做标记，也可以同时完成。其标配 4kW 电机功率输出，稳定高效；机械滚轮（高温淬火）；滚压式调直，持久耐用。

6. 特性与特点

（1）钢管调直机特性

1）本机采用机械传动，结构合理、性能稳定、操作安全简便。

2）本机多功能一体化，一次性完成钢管调直、除锈、涂漆多项操作。对钢管无损伤拉长现象，省时、省力、高效、环保。

3）机械速度可变速调节，分别调直直径为 48mm 的钢管。

4）本机运行平稳、噪声低、移动方便。

5）每小时处理 6～12m 钢管，日处理量达 15t 左右。

（2）钢管调直机特点

1）手柄式操作杆，快速轻便地调整压力，快捷程度是液压式调直机和排列式螺栓调节机不可比拟的。

2）无需刻度盘，更去除繁琐易坏螺栓调压装置，使调直更加简单方便，保证了调直的效果。

3）紧急制动装置可在瞬间切断机器电源，从而保护人员和机器的安全。

4）调直除锈上漆一次性完成，是液压分体式机工作效率的数倍。

5）老虎嘴设计入口处两侧增加左右侧轮，提高整机的安全性。

6）钢管除锈环节增加快速调节可拆卸除锈系统，可以任意快速调节钢丝刷的力度，满足各种除锈力度的需要，钢丝刷磨损后可快速拆卸更换，大大提高了工作效率。

7）一体式排灰系统设计，无需收灰与清理废渣，既做到了节电节约费用，又大大改善了操作者的工作环境与劳动强度。

8）1 分钟完成 2 条 6m 钢管（可根据实际情况更改机器速度）。

9）16 组钢丝刷排与 4 组毛刷过滤刷排，360°全面除灰除锈，干净如新。

7. 注意事项

（1）必须严格控制矫直钢管直径，绝不允许大于本机额定管径的钢管输送入机，否则会损坏机器或钢管。

（2）对于需要矫直的钢管要进行初检，有严重变形，对接或压扁及表面有焊接物的钢管，要处理后才能进行矫直。

（3）钢管进机时要把钢管端平，手应该握在距管头 1m 以外处，钢管自动进入时将手尽快松开，操作者应躲开钢管侧面，以防钢管伤人。钢管出机时可以拿住钢管前端与钢管同步前进。

（4）如果在工作中出现机器不转动或钢管不前进时应立即停机，并按动"反转"按钮将钢管退出，查明原因并排除故障后方可继续工作。

（5）本机有接地保护螺栓，应按要求装好接地线保护，以防电击伤人。

8. 保养方法

（1）输入、输出轮要保持表面清洁，应及时清扫。

（2）轴承部位每月进行 1～2 次清洗加黄油。

（3）电机上三角带要松紧适当，如松时需及时调整或更换。

（4）保持链条清洁，定期清洗检查，每班次加注机油。

（5）传动箱每班检查 1 次，加足油，每年更换 1～2 次机油。

（6）班前应检查各部位螺栓是否有松动，如有松动，应紧固后再开机运行。

9. 安全操作规程

（1）钢管调直机必须由专人管理；并经常给设备清洁、坚固、润滑、调整、防腐等，对机械进行认真的维护、保养。使用钢管调直机必须由专门的人员负责。

（2）工作前必须检查电源接线是否正确、各电器部件的绝缘是否良好、机身是否有可靠的保护接零或保护接地。

（3）使用前必须检查固定螺栓是否紧固、各传动部分的防护罩是否齐全有效。

（4）使用前必须先空车试运转，确认无异常后，才能正式开始工作。

（5）在机械运转过程中，禁止进行调整、检修和清扫等工作。

（6）按照说明书上正确的操作图使用调直机。该产品只能调整直径为 48mm 的钢管，禁止将大于或小于 48mm 的钢管在该设备上操作。大于 48mm 的钢管将会使电机烧坏，小于 48mm 的钢管无法调直除锈，也不彻底。

（7）其他参见前文"注意事项"。

第 2 节　土建用设备

随着激光技术、自控技术的飞速发展，土建施工设备得到了长足发展，出现了激光整平机、抹灰机等新设备。

3.2.1　激光整平机

1. 主要技术内容

激光整平机是一种以发射器发射的激光为基准平面，通过激光整平机上的激光接收器实时控制整平头，从而实现混凝土高精度、快速整平的设备。激光整平机是依靠液力驱动的整平头，配合激光系统和电脑控制系统，在自动找平的同时完成整平工作。整平头上配备有一体化设计的刮板、振动器和整平梁，将所有整平工作集于一体，并一次性完成。现阶段，激光整平机规格型号较多，常见的激光整平机如图 3-13 所示。

使用精密激光整平机铺筑、整平的水泥混凝土地面，地面平整度及水平度可提高 3 倍以上，密实度及强度可提高 20% 以上。同时还能提高工效超过 50%，并节省约 35% 的人工。此外，它能容易地铺筑高强混凝土、低坍落度混凝土和纤维混凝土。其激光系统配备多种自动控制元件，以 10 次/s 的频率实时监测整平头的标高，确保铺筑的地面平整度和水平度得到有效的控制。同时，其强力振动器的振动频率达 4000 次/min，确保混凝土振捣密实，使整个铺筑的混凝土基体均质、致密。

2. 主要特点

（1）地坪平整度可达到激光级精度的地面标高与平整度，地坪标高由激光和电脑自动控制，确保精确找平。

（2）激光整平机自带振捣系统，振动器的振动频率为 4000 次/min，混凝土密实度提高 20% 以上，提高了混凝土强度，避免了因振捣不均产生的应力不均及其带来的不规则开

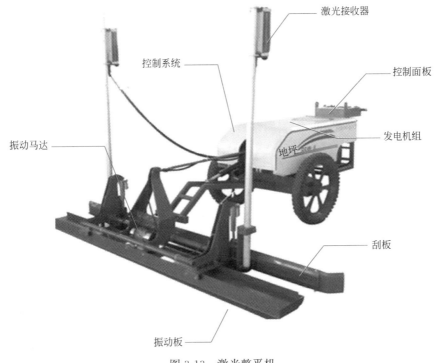

图 3-13　激光整平机

裂等弊病。

（3）激光发射器独立布置，地坪施工可以大面积铺筑并能保证地面标高的一致性，标高不受模板控制，不会产生累积误差。

（4）与传统方法相比较，可大大减少地坪的施工缝，可做到无分仓缝施工，使地面的后期维护费用和模板的使用量大大减少。由于养护及模板支护等原因，大面积混凝土地面上分仓缝会产生沿缝破损等缺陷，采用激光整平后，切缝技术可以避免这些问题。

（5）地面整体性更好，更容易实现大面积整体铺筑。这种整体铺筑技术一方面可以避免地坪分层浇筑带来的易空鼓、易开裂等问题，另一方面可以减少大量的施工缝，使地面的整体性更好。

3. 施工步骤

使用混凝土激光整平机来铺筑地面是一种较为省时省力的方式，快速有效且能最大限度地节省人工。设备在启动之后会根据地面的高度自行找平或者是在人工找平之后再进行压实，两种方式皆可。

主要施工工艺流程（图 3-14、图 3-15）：土建工程支模（底模）→混凝土地面及激光发射器高程控制→激光接收器高程调整→在整平机头上安装激光接收器并校准高度→激光整平机对混凝土整平→养护。

（1）支模（底模）。地面混凝土施工模板采用钢模板，侧立支，并进行固定。模板高度与地面混凝土厚度一致。考虑激光整平机的有效工作，模板标高误差应控制在－2～0mm 内。

（2）设置激光整平系统并调试设备。设置 2～3 个标高基准点。激光发射器应架设在

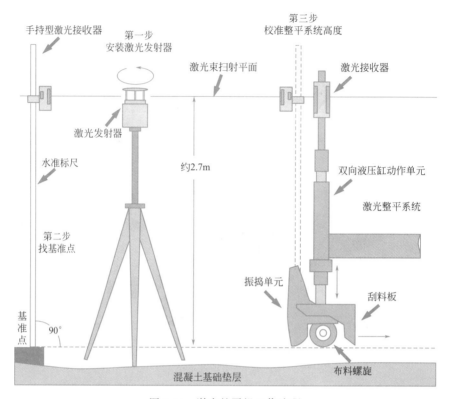

图 3-14　激光整平机工作流程

图 3-15　激光整平机工作中

平坦、开阔位置，保证激光发射器稳固，不受施工干扰；红外线工作连续，不受建筑物遮挡；与标高基准点之间无障碍物。将激光发射器初步调平，根据标高基准点测得红外线发出的标高。

将水准标尺置于±0.00 基准点上，移动标尺上的激光接收器，听到滴滴长鸣声，接收器上的绿灯闪烁时，说明水平标尺上的标高与激光发生器水平，此时，固定激光接收器。

将整平机上的两根钢管插在整平机工作头上，分别在立杆上安装 2 个激光接收器，根据信号发射器发射的信号调整整平机工作头的水平度及高度，确保其高度处于混凝土地面的标高，同时使整平机工作头处于水平状态，工作头两端高差不得超过 0.5mm。

（3）激光整平机整平。混凝土的浇筑从一端开始，由内往外退行铺设。机械操作人员操作激光整平机对混凝土表面进行精准整平，整平机会自动以 10 次/s 的频率对整平机进行校准控制，以保证整平面的精准度。

（4）混凝土养护。

3.2.2 抹灰机

抹灰机，又称粉墙机、抹墙机，是一种专门用于墙面自动抹灰的设备（图 3-16）。

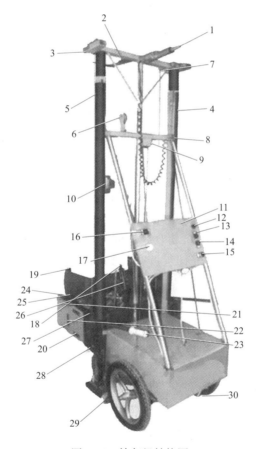

图 3-16 抹灰机结构图

1—伸缩电机；2—伸缩拉杆；3—门架；4—升降套管；5—套管支撑；6—双向滑轮；7—龙门架滑轮；8—中梁；9—立柱上升滑轮；10—电脑垂直仪；11—电脑控制板；12—垂直度调节开关；13—立柱上升开关；14—立柱下降开关；15—料斗升降开关；16—电源指示灯；17—振动机调节开关；18—料斗升降开关；19—翻шить触点滑轮；20—侧板总控弹簧；21—边板控制弹簧；22—边板控制触点；23—自动翻杆；24—上行抚平抹灰板；25—下行压光抹灰板；26—粉板翻转上触滑轮；27—料斗离合器；28—立柱刮沙装置；29—轨道移动轮；30—机器重心调节杠杆

1. 主要技术内容

抹灰机底盘内安装有卷扬机，用于抹灰架的升降；前端安装有竖向龙门架和抹灰架，抹灰架在卷扬机带动下沿立柱上下滑动；抹灰架的上部设有料斗，料斗一端设有出料口，出料口的下部安装有抹灰板；在料斗内，顺其宽度方向设有拨辊，电机通过减速机与拨辊连接，料斗的另一端设有进料口。

拨辊将灰浆拨到刮板上，卷扬机带动抹灰架上行，灰浆在上行抚平抹灰板作用下，被均匀地刮在墙壁上；卷扬机带动抹灰架下行，下行压光抹灰板进一步将灰浆抹平，抹灰架上下一个行程，即可完成墙面抹灰。

抹灰机操作方便，省时省力，能保证涂抹质量，安全高效。以一台抹灰板宽度为 1m 的自动抹灰机为例，其涂抹效率是人工的 8 倍多。机械抹灰施工时，较少产生落地灰，可节约材料用量，降低楼层清理难度。

2. 施工步骤

（1）打点。墙体要先打点，底部距地面 18cm 处，中部 1.5m 间距一个。砖墙宜提前浇水。

（2）量房。按照房屋建筑的高度，加合适的接头。一般抹灰机立杆高度为 2.85m，如果房间高度较高，应增加相应的接头，调整立杆。

（3）试运行。将抹灰机固定，进行一次空运行。

（4）设备定位。将抹灰机的底方管贴放在已打好的点上，将机器推至墙体，使底盘触角紧贴方管，踩液压，立杆上升并顶紧天花板，机器固定。从移机到固定的过程只需 10s。

（5）填灰。将灰斗和抹口填满，填灰的多少根据房间的高低与抹墙厚度而定，一般 2.85m 高、抹墙厚度 2cm 时，加一斗灰，中途无须加灰。注意两根立杆周围禁止填灰。

（6）抹灰。点启动按钮，振动和输送同时开启，在上行抚平抹灰板作用下，将灰浆均匀铺设在墙体上。在上升途中，可以采取断续送灰的方式，以减少落地灰；距离顶部 50cm 时，自动停止供灰，抹灰板自动改变角度，到达顶部时，自动停机或自动下行，振动自动停止；下行途中，下行压光抹灰板进一步将灰浆抹平。抹灰架上下一个行程，即可完成墙面抹灰。

（7）移机。同样步骤，将抹灰机移动到下一个工位，继续抹灰。

第3节　市政用设备

3.3.1　矩形盾构机

盾构法是使用盾构机在地中前进，通过盾构机外壳和管片支撑四周围岩，防止发生隧道内的坍塌，同时在开挖面前方用刀盘进行土体开挖，通过出土机械运出洞外，靠推进油缸在后部加压顶进，并拼装预制混凝土管片，形成隧道结构的一种机械化施工方法。该法可实现全过程自动化作业，施工劳动强度低，不影响地面交通与设施；施工中不受气候条件影响，不产生噪声和扰动；在松软含水层中修建埋深较大的长隧道往往具有技术和经济方面的优越性。其缺点是断面尺寸多变的区段适应能力差，盾构设备费用昂贵，对施工区段短的工程不太经济。

第一台盾构机诞生在英国，距今已有 180 多年。如今，盾构机已经在我国应用相当普及，盾构机为我国城市轨道交通的发展作出了巨大贡献。

采用盾构法施工，其结构形式以圆形为主，传统的圆形盾构机有两大优势：顶部拱形天然分散受力，容易"顶"住上方泥土压力；整体圆形，掘进过程中不会产生位置偏移。但圆形盾构机（图3-17）也有缺陷，其核心问题是空间浪费，圆形断面分舱会使空间利用率降低很多。从使用上来说，地下空间一般是方的，如果采用圆形隧道，势必上下左右各有一块空间被浪费。这在过去并不算大问题。但今天，城市发展到了一定阶段，地下空间愈加珍贵。有没有可能让隧道从一开始就被掘进成矩形，从而节省地下空间？而一些必须浅埋的隧道，如果能用矩形盾构机，也就不用进行路面开挖和管线迁移了。

矩形盾构机（图3-18）的全称为"盾构法掘进的土压平衡超大截面矩形盾构机"，矩形盾构机比圆形盾构机节省空间，矩形盾构机开掘出的矩形隧道空间利用率很高，而通常圆形盾构机开掘出的圆形通道上下两端浪费比较大。对开凿通道来说，圆形盾构机其实是最便利的选择，刀盘旋转一圈即可完成全断面切削。现在盾构机头由圆形改成矩形，可谓"牵一发而动全身"，涉及钢结构壳体、刀盘系统、螺旋输送系统、液压顶推系统、注浆系统、管片拼装系统、测量系统、信息化施工管理系统和环境监测系统等，需要解决刀盘切削、钢混组合的矩形管片体系与机械化拼装、姿态调整、浅覆土扰动及智慧监控等一系列难题。

图 3-17　圆形盾构机　　　　　　　　　　图 3-18　矩形盾构机

此外，从应用角度来说，盾构掘进的横截面应该足够宽、足够"扁"，这样才能最为有效地提供地下空间。地下空间技术世界一流的日本曾经做过矩形盾构机，其横截面大约是 9m×6m。而在我国上海诞生的矩形盾构机，其横截面 10.1m×5.3m，高宽比接近0.5。又"大"又"扁"的矩形截面，意味着对盾构机设计与制造的诸多挑战。

矩形盾构机掘进的难点表现在：其机器本身和拼装管片的抗压强度必须远超过圆形盾构机；其拼装工艺也与圆形盾构机大不相同；泥土落在盾构机顶部，圆形盾构机可以自然散落，矩形盾构机却容易堆积。最难的是，圆形盾构机怎么"转"都没事，矩形盾构机却稍一倾斜就会出现角度偏差。在隧道掘进过程中，如何保证这个方头方脑的"大块头"始终规规矩矩地按要求前行？

设计方经过努力，设计出抗压性极强的壳体和独创的半自动化机械拼装系统；防止泥土堆积，也通过液压技术实现。盾构机前端的刀盘，"8大3小"的组合中，8个大刀盘不仅能转动切削，还可以前后伸缩，随时帮助整台盾构机矫正方向。刀盘面上还分布着精准的传感监测系统，实时测定土压，随时调整力度与方向。发生上下偏转怎么办？国际上有种做法是用液压装置，但代价昂贵，设计方直接用现场的泥土作为"泥垫"，一有偏向，即刻释放泥土"垫"到偏低的部分，使推进始终保持平衡。

相比传统的圆形盾构机，矩形盾构机施工可使空间利用率提升20％以上，隧道也可以埋深更浅、坡度更小，减少施工干扰。"这将会对国内大城市主干道下穿隧道、地下管线密布区地下通道特殊节点的处理、地铁设施、共同管沟以及建筑物间地下连接通道建设等产生示范效应和深远影响。"

2015年10月11日，随着飞速旋转的红色盾构刀盘最后破土，虹桥临空园区10-3.11-3地块地下连接通道正式贯通，连接起两座大楼的地下车库。这条地下通道由上海本地大型建筑企业自主研发的国内首台超大截面矩形盾构机挖掘而成，2016年投入到虹桥商务区与中国博览会综合体地下人行隧道东段工程的施工。

开凿深埋地下的隧道，离不开钻地利器——盾构机，它依靠强劲的动力和严丝合缝的掘进工艺打造出宽阔的通道。这台盾构机在福泉北路下开掘出断面9.75m×4.75m、长28m的隧道，尽管距离隧道上方1.8m的平行空间内贯穿了7条公共管线，其中距离最近的雨水管仅700mm，但在20多天的掘进过程中，管线全都毫发无损，地面交通如常，地下低噪声施工对邻近商务楼的影响微乎其微。

国内首台超大矩形盾构机的问世，填补了国内隧道工程建设的空白，将会对主干道下开凿隧道、管线密布区的地下通道建设等产生示范效应。尤其在地下空间饱和的当下，矩形盾构机比常见的圆形盾构机节省20％的空间，且无需太大的埋置深度，距离顶部仅需3m。即便与同为新兴工艺的矩形顶管机相比，矩形盾构机可实现1km以上的长距离推进和曲线施工，前景十分看好。矩形盾构隧道因为埋深更浅、坡度更小，减小了施工干扰，在综合管廊施工时，也可以考虑采用矩形盾构技术。

盾构机应遵守如下安全操作规程：

（1）盾构机内工作和操作人员必须经过专业培训，并取得行业上岗证书，同时应具有较强的责任心，并熟悉设备上的所有安全保障设施。

（2）盾构机施工人员必须佩戴安全帽，在特殊环境工作的人员需配备防护装备。

（3）盾构机施工人员应熟悉盾构机上的所有警示灯、报警器所表示的盾构设备的状态及可能发生的危险的含义；应熟悉设备内的联络系统，并经常检查，以保证这些通信设备正常使用，主要包括主控室内的通信设备、人舱外/内的通话设备、拖车/注浆泵站的通话设备、通过电话线利用调制解调器向地面传输数据信息设备。

（4）应经常检查防火系统配备的完整性及功能可靠性，应定期检查火灾报警系统，避免火灾隐患，防止火灾发生。

（5）应经常检查在盾构机上安装的相关气体检测装置，以测定以下有害气体的浓度：螺旋输送机底部的CO_2、螺旋输送机底部的CO、管片拼装机顶部操作区域的O_2。

（6）盾构机施工过程中发生紧急故障或事故的状态下应立即按下紧急停止按钮，以防止或阻止事故的继续发生。任何时候只要按动盾构机内的紧急停止按钮（操作室、拼装机、上下触摸屏处），即可停止所有正在运转的设备，照明系统电源除外。

（7）必须保证备用内燃空压机随时处于可启动状态。内燃空压机每周运行半小时，确保突然断电时可以立即启动，以保证压力仓所需的压缩空气供应。

（8）严禁一切泵类设备（液压油泵、油脂泵、砂浆泵、加泥泵、泡沫泵、水泵等）空转。

（9）禁止移动、缠绕、损坏安全保障设备。

（10）禁止改变控制系统的程序。

（11）盾构机上所有表示安全和危险的标识必须完整，并容易识别，盾构机内严禁吸烟。

（12）使用人仓时应确保刀盘和螺旋输送机停止，并关闭螺旋输送机所有闸门。

（13）经技术部门确认安全、报批后，方可进入土仓库进行相关作业。

3.3.2　液压顶管机

1. 顶管施工技术

顶管施工是继盾构施工之后发展起来的一种地下管道施工方法，它不需要开挖面层，并且能够穿越公路、铁道、河川、地面建筑物、地下构筑物以及各种地下管线等。顶管施工是非开挖施工方法，是一种不开挖或者少开挖的管道埋设施工技术。顶管法施工是在工作坑内借助顶进设备产生的顶力，克服管道与周围土壤之间的摩擦力，将管道按设计的坡度顶入土中，并将土方运走。一节管子顶入土层之后，再下第二节管子继续顶进。其原理是借助主顶油缸及管道间、中继间等推力，把工具管或掘进机从工作坑内穿过土层一直推进到接收坑内吊起。管道紧随工具管或掘进机后，埋设在两坑之间。

非开挖技术彻底解决了管道埋设施工中对城市建筑物的破坏和道路交通的堵塞等难题，在稳定土层和环境保护方面凸显其优势。这对交通繁忙、人口密集、地面建筑物众多、地下管线复杂的城市是非常重要的，它将为城市创造一个洁净、舒适和美好的环境。

非开挖技术是近期开始频繁使用的一个术语，主要是利用少开挖，即工作井与接收井要开挖，以及不开挖，即管道不开挖技术来进行地下管线的铺设或更换，顶管直径 800～4500mm。通过工作井把要顶进的管子顶入接收井内，一个工作井内的管子可在地下穿行 1500m 以上，并且还能曲线穿行，以绕开一些地下管线或障碍物。

它的技术要点在于纠正管子在地下延伸的偏差。其特别适用于大中型管径的非开挖铺设，具有经济、高效、保护环境的综合功能。这种技术的优点是：不开挖地面；不拆迁，不破坏地面建筑物；不破坏环境；不影响管道的段差变形；省时、高效、安全，综合造价低。

该技术在我国沿海经济发达地区广泛用于城市地下给水排水管道、天然气石油管道、通信电缆等各种管道的非开挖铺设。它能穿越公路、铁路、桥梁、高山、河流、海峡和地面建筑物。采用该技术施工，能节约一大笔征地拆迁费用，减少对环境的污染和道路的堵塞，具有显著的经济效益和社会效益。

经过多年的发展，顶管技术在我国已得到大量的实际工程应用，且保持着高速的增长势头，无论在技术上、顶管设备还是施工工艺上都取得了很大的进步，在某些方面甚至已达到世界领先水平。2001 年，上海隧道股份有限公司在江苏省常州市完成了长 2050m、直径 2m 的钢筋水泥管顶管工程，是当时已完成的我国最长的顶管工程。2001 年 8～12 月，嘉兴市污水处理排海工程一次顶进 2050m 超长距离钢筋混凝土顶管，由于选择了合理的顶管机具形式，成功地解决了减阻泥浆运用和轴线控制等技术难题，用约 5 个月完成全部顶进施工，创造了新的顶管施工记录。全长 3600m、管径为 1.8m 的钢管从 23～25m 深的地下于 2002 年 9 月成功横穿黄河，无论从顶进长度、埋深、地质条件，还是钢管直径在国内尚属首次。其中最长的一段位于黄河主河床上，长达 1259m，还穿越了较厚的砾砂层与黄河主河槽，既是我国西气东输项目的关键工程，也是世界上复杂地质条件下大直径钢管一次性顶进距离最长的顶管工程。2001 年的上虞市污水处理工程中，玻璃纤维夹砂管首次成功地应用于顶管。2008 年的无锡市长江引水工程中，中铁十局十公司采用国产设备直径 2200mm 的钢管双管同步顶进 2500m。以上工程均标志着我国的顶管施工水平达到一个新的高度，与世界先进水平日益靠近。然而与日本、德国等国先进的机械设备及施工技术水平相比，我国仍有着显著的差距。

世界上第一个有据可查的关于顶管技术的记录是在 1892 年，最初的顶管施工作业是在 1896～1900 年间由美国北太平洋铁路公司（Northern Pacific Railroad Company）完成。我国顶管施工技术起步较晚，自 1954 年（也有认为是 1953 年的，无确切记载）在北京进行的第一例顶管施工以来，我国从国外引进顶管技术已 60 余年。早期发展较慢，以人工手掘式为主，设备十分简陋，也无专门的从业人员，直至 1964 年前后，上海首次使用机械式顶管，上海的一些单位进行了大口径机械式顶管的各种试验和相关的一些理论研究。当时，口径 2m 的钢筋混凝土管的一次推进距离可达 120m，同时这些单位也开始利用中继间的相关技术。在此以后，又进行了多种口径、不同形式的机械顶管试验，其中土压式居多。由于当时的顶管掘进机的设计还停留在比较原始的阶段，既没有完整的设计施工理论和工艺作指导，也不考虑具体的地层条件，所以当时的顶管掘进机还不够完善。土压式顶管机当时分为上部出土和下部出土两种，但都没有引入土压力的概念。其中，也进行了一些水冲顶管的试验。1967 年前后，上海已成功研制人不必进入管子的小口径遥控土压式机械顶管机，口径有 700～1050mm 多种规格。施工实例中，有穿过铁路、公路的，也有在一般道路下施工的。这些掘进机，全部是全断面切削，采用皮带输送机出土。同时，已采用液压纠偏系统，并且纠偏油缸伸出的长度已用数字显示。1978 年前后，上海又研制成功适用于软黏土和淤泥质黏土的挤压法顶管，这种方法要求的覆土厚度较大（大于 2 倍的管外径），但施工效率比普通手掘式顶管提高 1 倍以上。20 世纪 80 年代以来，顶管施工技术发展更为迅速，无论在理论上，还是在施工工艺方面，都有了长足的发展。1984 年前后，我国的北京、上海、南京等地先后开始引进国外先进的机械式顶管设备，使我国的顶管技术上了一个新台阶。尤其是在上海市政公司引进日本伊势机（ISEKI）公司的直径 800mm 的 Telemale 顶管掘进机之后，国外的顶管理论、施工技术和管理经验也进入国内，如土压平衡理论、泥水平衡顶管的各种试验和相关的一些理论研究。之后在 1988 年和 1992 年分别成功研制我国第一台多刀盘土压平衡掘进机（DN2720）和第一台加泥式土压平衡式掘进机（DN1440），均取得了较令人满意的效果。与此同时，对顶管技术的理论研究的关注逐年增强，开始出现了比较专业的技术人员。1998 年，中国地质学会非开挖技术专业委员会成立，标志着我国的顶管行业开始进入规范化发展。2000 年后，同济大学等高校对顶管技术方面进行了不少专项课题研究，也取到了不少成果。2002 年，中国地质学会非开挖技术专业委员会批准成立北京、上海、广州和武汉四个非开挖技术研究中心，对非开挖管线技术的研究进一步深入。

随着我国经济持续稳定地增长，城市化进程的进一步加快，我国地下管线的需求量也在逐年增加，加之人们对环境保护意识的增强，顶管技术将在我国地下管线的施工中起到越来越重要的地位和作用，非开挖技术必将向规模化、规范化、国际化的方向发展。

在我国经济高速增长的支持下，顶管技术的发展将面临前所未有的机遇，在加快引进国外先进技术的基本上，努力消化创新，加强研发和人才培养，其前景是十分乐观的。纵观国内外顶管技术的发展，发展方向将是多元化和多样化。在顶管直径方面，除了向大口径管的顶进发展以外，也有向小口径管的顶进发展。顶管技术最小顶进管的口径只有75mm，最大的已达到 5m（德国），大口径顶管有取代小型盾构的趋势。在适应性方面，发展宽范围、全土质型顶管机是必然趋势，适应范围将大为延伸，从 N 值为极小的土到 N 值为 50 多的砾石，直至轴压强度达 200MPa 的岩石。将微电子技术、工业传感技术、实时控制技术和现代化控制理论与机械、液压技术综合运用于顶管机械上，也是顶管技术的发展趋势。数字化、信息化、智能型顶管机的研制将得到更多的关注，纠偏精度、自动化程度也将得到大力提高。在不久的将来，一些全自动、高精度的掘进机会成为施工机械的主流。顶管的用途随着相关技术的发展也将继续扩展，主要用于管道铺设、涵顶进、地下人行通道管棚式施工等多种用途。顶管截面形状基本上都是圆形，今后的发展趋势是圆形、矩形、圆拱形、多边形等，以适应箱涵顶进等各种工程的需要。顶管施工形式主要为土压式、泥水加压式，以后的发展将在进一步吸收国外技术的基础上，应用管套式、气泡式等各种形式的顶管施工技术。随着高精度、长距离测量技术进一步的发展应用，通风系统的完善，中继间技术、注浆减摩技术的进步，排渣系统的发展，刀盘切削系统、推进系统、出土输送系统、供电液压系统、监控系统、测量导向系统等一系列技术的突破，现有的一次性顶进距离将不断刷新，各种复杂曲线顶管也将陆续出现。中国地质学会非开挖技术专业委员会会员已突破 100 个，数量居世界第 4，亚洲第 1，形成了行业协会、科研单位、研究中心与设备生产和施工企业组成的强大阵营，而且每年不断有很多人不断加入到从事顶管等非开挖工作的行列，我国的顶管技术必将迎来一个崭新的阶段。

顶管技术目前存在的主要问题是，机械设备技术比较落后，地区差异明显，水平参差不齐，缺乏规范化，人才不足，尚待进一步宣传推广。对顶管机械设备我国主要依赖于进口，虽然国内也有生产企业，但技术仍落后于国际先进水平，掘进机型号种类不足以适应工程需要，我国尚无适用于中强度岩层以上的岩盘掘进机，适应土质范围不宽，且耐用性、机械化、自动化水平不够。从地域上看，我国东部的顶管技术发展水平远远高于中西部地区，仅广东、上海、浙江、江苏和山东五省市就占到了非开挖铺管工作量的 75%。而西部地区仅在西气东输项目下有为数不多的顶管穿越工程，中西部地区与东部沿海地区差距十分显著。顶管施工技术在城市之间的发展不平衡，在上海、北京、广州等大城市技术水平比较高，应用比较普遍，但在中小城市应用较少，在中西部地区的城市应用更少。在同一城市发展也不平衡，据广州市住房和城乡建设局 2004 年对广州市顶管技术应用现状的有关调查发现，该市的顶管技术发展较不平衡，机械化的顶管施工不多，手掘式顶管仍占最大比例，顶管施工技术往往不是管线铺设的首选，其常被看作是无法开挖的无奈之举。不同施工企业的施工水平也不平衡，有些还处在比较原始的阶段，也有一些应用失败的工程，客观上阻碍了顶管技术的推广发展。影响顶管技术应用的另一个因素是，行业规范化不够，存在同行低水平恶性竞争的现象，专业人才缺乏，现有的从业人员大多是从一般的土木工程施工中转化而来，缺少专业训练。今后仍需加强管理，努力推广先进技术，提高施工水平和改善施工工艺。

2. 液压顶管机

液压顶管机组主要结构由四大部分组成。主体部分：主要由两个双作用液压油缸组成。液压泵站：分别配有柴油机泵站和电动机泵站。支撑板：固定机器和支撑坑壁。顶杆与拉头：顶进和回拖扩孔。

（1）组成

顶管机主要由旋转挖掘系统、主顶液压推进系统、泥土输送系统、注浆系统、测量设备、地面吊装设备和电气系统等组成（图3-19）。沿水平衡式顶管机还设有泥水处理装置。其中旋转挖掘系统（俗称机头）主要由前钢壳、后钢壳、切削机构、切削刀盘、刀盘减速器、送排泥浆机构、液压动力装置、纠偏液压缸、防水圈、切削刀头、刀盘旋转轴、电气系统、自动控制系统以及附属装置等组成。其钢壳承受外部土压和水压，保护内部设备和操作人员的安全，便于在开挖面进行连续切削、衬砌和推进等作业。另外，主顶液压推进系统由主顶液压泵、主顶液压缸、油管和操作台四部分组成，是旋转挖掘系统和所施工管道的顶推动力装置。

（2）维护与修理

顶管机的保养与维修必须坚持"预防为主、状态检测、强制保养、按需维修、养修并重"的原则，并由专业技术人员进行保养与维修。必须按照使用说明书的要求和施工计划，对顶管机和配套设备进行保养与维修，并需做好记录。在顶管机长期停止掘进期间，仍应定期进行维护保养。

（3）液压顶管机注意事项

1）拆装

拆装顶管机的目的主要是为了停工后的转场、维修保养，并为新的施工任务做好准备（图3-20）。顶管机完成管道施工任务后，应把延伸轨道铺设好，用主顶液压缸把旋转挖掘系统推出作业面至基坑处停放好。拆卸前，一定要搭建工作平台和防护栏杆，钢壳两侧圆形坡上还需安装踏板，以防工作人员从上面滑下来。

图3-19　液压顶管机　　　　　　　　图3-20　液压顶管机拆装

拆卸时，首先要把测量仪器的接线和组装的零件拆下来，然后拆除旋转挖掘系统的总电缆和容易损坏的传感器（如报警和测量定位传感器等）。拆卸时一定要按拆装规范进行。

在完成上述拆卸工作后，应将旋转挖掘系统整体吊出基坑，拉运到检修地点。

顶管机其他工作系统的拆装，应当按照不同系统如主顶系统、土输送系统、注浆系统、电气系统等的拆装要求进行。

2）更换切削头

旋转挖掘系统每次拆卸时都要更换磨损严重超标的切削刀头，并根据将要施工地层的土质条件选择切削刀头的形状、材质，安排切削刀头的布置方式。切削刀头分为刀柄和刀尖两部分，刀柄的材质多为经过热处理的中碳钢，刀尖的材质多为硬质合金或工具钢。

在切削刀盘上除装设切削刀头外，还在超出切削刀盘直径的圆周方向设置了超挖刀、仿形刀等切削刀头。采用超挖刀的目的是减少旋转挖掘系统外壳的磨损和提高操纵性，即减少顶管机的偏摆和推进阻力。缺点是增加了背衬水泥砂浆的灌注量。

3）切削刀盘的维护修养

每次拆装旋转挖掘系统时，都要检查、保养、修理切削刀盘的土砂密封件，并做好各部轴承的润滑工作。为了防止土砂、泥水等侵入切削刀盘的轴承，在切削刀盘旋转轴与座孔之间装有数道土砂密封件及轴承润滑装置。土砂密封件的结构需要依据覆盖层深度、地下水压力、添加剂压力、工期长短、管道长度、密封件安装位置、密封层数及润滑方式等因素确定。

4）切削刀盘的扭矩检测

在对旋转挖掘系统完成大修或技术改造后，要对切削刀盘扭矩进行检测。切削刀盘的扭矩要根据地质条件以及旋转挖掘系统形式、构造和直径等因素确定。一般需要考虑以下几种要素：切削土壤、砾石等的切削阻力矩；切削刀盘与土壤的摩擦阻力矩；土砂的搅拌、提升阻力矩；轴承摩擦阻力矩；减速机的机械摩擦、传动等阻力矩。

（4）液压顶管机安全操作

1）挖掘操作坑的位置应取得交通部门的许可，采取必要的防止塌方的措施保护公路、铁路安全。

2）操作坑的坡比要严格按照土质样本进行计算，避免塌方。

3）靠背墙要有可靠的支护装置，防止倒塌伤人。

4）操作坑的大小要满足人员在内施工的活动半径。

5）坑内的操作人员要严格穿戴劳动保护用品。

6）准备足够的安全可靠的清渣和运渣机械，确保清渣运渣作业过程中的人员安全。

7）顶进过车过程中，遇到障碍停止顶进，待查明情况排除障碍后再进行顶进。

8）吊装作业时，起重工须持证上岗指挥，起重机械性能保持完好，吊索具要安全可靠。起重臂下严禁站人。无关人员不得进入吊装作业范围。

9）夜间施工必须安置红灯警告标志，有专人看护。

10）每天清理垃圾和废弃物，保持工作场地的清洁和整齐。

11）顶管施工时，管内为存在危险的有限空间，人员清渣时，严格规定连续作业时间，每人不得超过 1h，避免因缺氧造成的呼吸困难。

12）及时对围栏外的围观群众进行疏导。

第4节　安装用设备

3.4.1　全自动风管自动化生产线

1. 发展简介

全自动风管自动化生产线是一款高品质、高产能、低成本的风管加工设备，其生产流程为：开卷放料、送料、校平、压筋、剪角、剪板、辘骨成型、成型法兰（共板法兰和C形法兰或角钢法兰）、折弯等。此设备具有占地面积小、节能省料、操作简单、易搬迁、效率高等优点，既适合工厂批量生产，也适合工程现场快速生产。它根据设备配置不同分为风管生产2线、风管生产3线、风管生产4线、风管生产5线、全自动风管生产2线、全自动风管生产3线、全自动风管生产4线、全自动风管生产5线、超级U形5线等。

超级U形5线、全自动风管生产5线是全新一代风管自动化生产线。全自动风管生产5线采用U形结构，优势是占地面积小，速度快。其长14m，宽6.5m，日生产量在1000～2500m^2，具有日累计计数、月累计计数功能。全自动风管生产5线可选共板法兰风管成型、角钢法兰风管成型一次性完成。

2. 特点及适用范围

（1）仅需人工1～2人，日加工能力1500m^{2}左右。

（2）料卷均采用独立的变频调速电机驱动。

（3）带加工省料模式，每卷料只有一块小于20mm的废料。

（4）折方伺服送料定位精确，尤其是在加工"口"字形管道时，优势明显。

（5）输入采用触摸模式，保证操作的稳定性。

（6）带生产管理功能，具有累计计数功能。

（7）此生产线为直线形结构，生产流畅，占地小，减少板料的传送时间，生产效率高，是一款自动化强度高的生产线。

全自动风管自动化生产线生产的共板法兰风管是空调、通风系统中的重要组成部分，风管用量每年都在增加，可广泛应用于建筑工程中的中央空调系统、工业工程的通风系统、净化工程的净化空调系统等。

3. 功能

一条完整的通风管道生产线应该实现以下功能：

（1）卷料选料、下料：可以选择2～6种不同厚度或者材质的卷料。

（2）压紧、较平：该功能是对卷料加工前的调整过程，防止产生废料。

（3）打孔、倒角、切槽：该功能可以完成风管安装孔的制作，避免后期打孔带来的不便。

（4）切断：该功能将板料从卷料脱离，进行下一步加工。

（5）传输：方便卷料自动进行下一工序的加工。

（6）咬口：该功能实现对板料的压边操作，制作联合角。

（7）共板法兰成型：该功能是制作双面共板法兰的关键步骤。

（8）折弯成型：最后一道工序完成，共板法兰矩形风管已经成型。

4. 典型生产线

直线形共板法兰风管全自动生产线 YZGBXⅢ12-1500，是最新开发的一代新产品。该生产线全长 22m，平均班产量约 2000m²，能完成将整捆卷板从开卷、校平、压筋、冲切缺口、联合咬口，直至共板法兰、角钢法兰、插接式法兰风管折方等全部工序。所有加工工序均由电脑自动控制，仅由 1～2 人监控操作即可。加工的风管不仅质量完全标准统一，而且较人工单机操作提高工效 15～20 倍。

（1）主要配置

1）自动开卷上料架两台（含四个料卷）；

2）上料托料架一个；

3）校平、压筋、冲口、剪板主机一台（含整机液压系统一套）；

4）1 号皮带线及气动定位传送板材平台一套；

5）高精度位移联合咬口机组一台；

6）双机联动角钢法兰机组一台；

7）双机联动共板法兰机组一台；

8）2 号皮带线送料平台一套；

9）伺服定位液压折方机组一台；

10）电脑控制系统一套。

（2）主要技术参数（表 3-6）

直线形共板法兰风管全自动生产线主要技术参数   表 3-6

名称	技术参数	单位	备注
最大加工板厚	1.2	mm	
适用卷板宽度	1250；1500	mm	两种规格
成型风管最小边长	150	mm	
最小风管展开长度	700	mm	"L"形生产线为两边之和 "口"形生产线为四边之和
生产线平均班产量	1500	m²	
生产线展开长度	22	m	选用两组四个开卷机时
生产线实际占地面积	22×5	m²	
生产线总动力	15	kW	
设备总重量	12.6	t	
机械部分传动形式	链条、滚杠、皮带		
油泵最大压力	8	MPa	
电脑控制系统型号	IPC-810/1815VNA(B)/ Intel CoreE5300/2G/500G		
主要电气元件生产厂家	西门子、LG、正泰		

5. 全自动风管生产线的安全操作

全自动风管生产线的防护装置用来将操作者和机器设备的转动部分、带电部分及加工过程中产生的有害物加以隔离，如皮带罩、齿轮罩、电气罩、铁屑挡板、防护栏杆等。

全自动风管生产线的保险装置用来提高机床设备工作可靠性。当某一零部件发生故障或出现超载时，保险装置动作迅速停止设备工作或转入空载运行，如行程限位器、摩擦离合器等。

（1）剪板机安全操作规程

1）开机前必须检查所有电气设施及油箱电位，待确定完好后方可进行作业。

2）启动电机后，必须检查急停开关按钮的完好性，确认完好后方能正式作业。

3）在剪板前确认板厚，然后在机床右侧调整刀板间隙，调整完毕后锁定。

4）机床操作前，应作1～3次空行程，正常后再实施剪切工作。

5）液压剪板机运作加工时，严禁将手伸入护栏（刀板剪横杆）内。

6）使用中如发现机器运作不正常，应立即切断电源，停机检查。

7）调整机床时必须切断电源，移动工件时应注意手的安全。

（2）联合咬口机安全操作规程

1）咬口机启动前，应先检查防护罩是否保持完好。

2）工件长度、宽度不得超过机具允许范围。

3）作业中，当有异物进入辊轮中时，应及时停机修理。

4）严禁用手触摸转动中的辊轮。用手送料到末端时，手指必须离开工件。

5）作业时，非操作和辅助人员不得在机械四周停留观看。

6）作业后，应切断电源，锁好电闸箱，并做好日常保养工作。

（3）法兰机安全操作规程

1）加工型钢规格不应超过机械的允许范围。

2）当轧制的法兰不能进入第二道型辊时，不得用手直接推送，应使用专用工具送入。

3）当加工法兰直径超过1000mm时，应采取加装托架等安全措施。

4）作业时，人员不得靠近法兰尾端。

（4）液压折方机安全操作规程

1）作业时，应先校对模具，预留被折板厚的1.5～2倍间隙，经试折后，检查机械和模具装备均无误，再调整到折板规定的间隙，方可正式作业。

2）作业中，应经常检查上模具的紧固件和液压或气压系统，当发现有松动或泄漏等情况，应立即停机，处理后方可继续作业。

3）批量生产时，应使用后标尺挡板进行对准和调整尺寸，并应空载运转，检查及确认其摆动灵活可靠。

4）作业时，手指不得伸入刀内和齿轮间。

5）折方时，应相互配合并与折方机保持一定距离，以免翻转的钢板伤人。

3.4.2 薄壁不锈钢管道自动熔焊设备

1. 技术内容

为了满足薄壁不锈钢卫生级管道的焊接要求，提高焊接质量，可采用薄壁不锈钢管道自动熔焊技术。本技术应用的主要设备为数字化程控逆变焊机、全位置焊接机头等。在焊机控制屏上设置焊接参数，管道内充氩保护，配套使用全位置焊接机头，可实现管材无间隙对口，通过母材自熔形成熔解接头，熔解接头高度与母材基本平齐，无明显焊接痕迹，如图3-21、图3-22所示。该技术在满足薄壁不锈钢管道焊接质量的基础上，极大提高了焊接效率，减少了人工的使用，缩短了施工工期，经济效益、社会效益显著。

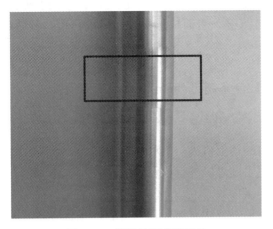

图 3-21　焊缝外侧成形质量

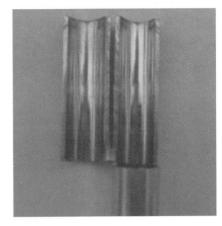

图 3-22　焊缝内侧成形质量

2. 薄壁不锈钢管道自动熔焊设备

薄壁不锈钢管道自动熔焊设备（图 3-23）由数字化程控逆变焊机、全位置焊接机头、焊线等组成。

图 3-23　薄壁不锈钢管道自动熔焊设备

以应用较多的 AW-200 数字化程控逆变焊机为例，该机由控制系统、电源系统及冷却水箱组成。控制设备采用西门子 PLC 控制平台，对各种输出及采样信号进行高分辨率的监控。控制系统采用开放、可升级的操作系统；可提供 10 寸中（英）文界面、图形化操作界面，内置专家参数，提供强大的用户数据及系统参数；可对全位置焊接中的各项功能参数进行集中设置、存储、同步精确控制；可实时显示焊接电压、焊接电流、行走距离/度数，并可控制焊接行程，实现自动衰减；可精确设定钨极与工件的距离，钨极触碰工件后提升到设定值，并实现高频引弧；具备故障自动诊断功能，可显示出错代码；模块化设计，便于维护和保养。该款数字化程控逆变焊机专门为薄壁不锈钢管道焊接进行设计制造，具有数字化、易操作、可靠性等特点。

全位置焊接机头为全位置 TIG 焊接设计的专用焊头，以应用较多的 AS 系列封闭式管管焊接机头为例，该机头与 AW-200 数字化程控逆变焊机配套使用，可实现 TIG 全位置焊接，达到理想的焊接效果。机头采用旋转无缠绕结构，枪体水冷却，焊枪轻便，暂载率高；快插式夹具，可减少焊前准备的时间；定位方式为夹块定位，定位准确；手柄上配备操作按钮，操控方便；封闭式焊接，焊接保护效果好，表面成形美观、紧凑；可达性好，适合操作空间小的现场安装。

3. 适用范围

其适用于熔接管径为 6～114.3mm、管壁壁厚不超过 3mm 的薄壁不锈钢管道氩弧焊接。

4. 操作步骤

（1）测量、下料。采用专用手动切管器或自动切割机进行管材的切割。

（2）组对、点焊固定。按要求组对后，采用手动焊机进行点焊固定。

（3）自动熔接焊参数设置。在焊机上设置焊接参数。

（4）自动熔接焊。参数选定后，编辑熔接程序，确认充氩保护合格后，开始熔接，焊缝成形。

（5）焊接质量检验。焊接完成后，对每道焊口的焊缝外侧进行目测检查，对焊缝内侧采用内窥镜检查。

第4章　新技术、新工艺

第1节　建筑起重机械监控应用技术

4.1.1　塔式起重机安全监控管理系统

塔式起重机是建筑机械化中必不可少的关键设备。随着建筑业的发展，塔式起重机在用数量逐渐上升，事故也随之增多。在众多事故中违章操作、超载所引发的事故占60%以上。国际上早在1998年就全面实施了安全监控管理，并列入了强制性标准，使事故下降了80%以上。

塔式起重机安全监控管理系统由工作显示系统、专用传感器、数据通信传输系统、安全软硬件、工作机构等组成。监控管理系统的应用可从根本上改变塔式起重机的管理方式，做到事先预防事故，变单一的行政管理、间歇性检查式的管理为实时的、连续的科技信息化管理；变被动管理为主动管理，最终达到减少乃至消灭塔式起重机因违章操作和超载引起事故的目的。

1. 系统简介

塔式起重机安全监控管理系统是对起重机械工作过程进行监控，能够对重要运行参数和安全状态进行记录并管理的系统。通常它由传感器、信号采集器、控制执行器、显示仪表、监控系统等组成，将显示、控制、报警、视频监控等功能集于一体。具体监控内容包括：起重量、起重力矩、起升高度/下降深度、运行行程、幅度、大车运行偏斜、水平度、风速、回转角度、同一或不同一轨道运行机构安全距离、操作指令、每次工作循环、起升机构制动器状态、抗风防滑状态、联锁保护、工况设置状态、视频系统等。各系统的详细定义及其功能参见《起重机械安全监控管理系统》GB/T 28264—2012。

2. 主要功能

（1）记录塔式起重机工作全过程。管理者可适时掌握数据，作为对塔式起重机检查、大修和事故判定的依据。

（2）判断司机的操作指令，能自动拒绝执行超出塔式起重机能力范围的指令，同时发出声光报警并将相应工作参数数据记入违章档案。

（3）显示塔式起重机工作参数，使司机能直观地了解塔式起重机的工作状态，正确操作，避免误操作和超载。

（4）利用 GPRS 远程无线传输和 Internet 技术，实现在联网的计算机上实时查看塔式起重机的工作参数，对塔式起重机工作参数及状态分析统计，实现塔式起重机安全管理全覆盖，指导维修保养和适时更换易损件。

3. 关键技术

（1）高精度力传感器匹配及传感器在不同起重量、不同机构特性、不同温度条件下稳定工作，重复精度满足要求的技术。

（2）变幅、起升、回转，倾角传感器可靠测距，消除积累误差，保证重复精度的技术。

（3）系统抗电磁干扰、宽温幅、抗粉尘、抗潮湿、抗老化技术。

（4）系统适应于不同型号、不同形式的塔式起重机普适性技术。

（5）集远程数据传输、大容量数据管理、GPRS定位、多层低用户服务等内容的塔式起重机监控网络平台集成技术。

4. 技术指标

（1）实时监测和显示建筑起重机工作参数和适用范围

工作幅度：3～200m	起重量：0.3～80t
起重力矩：0.9～2400t·m	起升高度：0～400m
回转角度：±5400	行走距离：0～800m
起重量显示精度：±3%	力矩显示精度：±5%
测距精度：±0.3m	回转角度显示精度：±50
仰俯角度显示精度：±10	记录贮存工作循环次数：16000 次

（2）反馈控制参数

当起重量达到额定起重量的90%时报警，超过额定荷载的3%时，停止起升机构上升运动。

当起重力矩达到额定起重力矩的90%时报警，超过额定起重力矩的5%时，停止上升和向大幅度方向运动。限制起升、变幅、回转、行走的位移，当位移接近最大位移和最小位移的规定值时，报警并强迫换为低速运转，达到极值时，停止向危险方向运动。连续记录每一个工作循环的全部工作参数并贮存数据，最大贮存量为16000个工作循环。

（3）远程管理平台

除塔式起重机基本参数外，另外提供吊钩速度、负荷率、力矩比等参数实时显示，超载自动弹出显示。可按照塔式起重机名称、日期、起重量等多种方式进行统计分析，支持打印。具有24h专业数据服务器，容量1万台，保存数据180d。提供政府管理机构、企业集中管理客户、现场管理客户多种层次塔式起重机管理服务。

（4）工作环境

系统工作温度：－20～60℃	工作湿度：95%（不结霜）
抗群脉冲干扰等级：2000V	防护等级：IP43
工作电压：3 相 380V　50/60Hz	允许电压波动：－15%～＋10%

5. 应用介绍

塔式起重机安全监控管理系统是基于传感器技术、嵌入式技术、数据采集技术、数据处理技术、无线传感网络与远程通信技术相融合的系统平台，通过前端监控装置和平台无缝融合，实现了开放式的实时塔式起重机作业监控，在对塔式起重机实现现场安全监控的同时，通过远程高速无线数据传输将塔式起重机运行工作状况安全数据和报警信息通过3G CDMA实时发送到远程GIS可视化监控平台，并能在报警时自动触发，通过手机短信向相关人员告知，从而实现实时的动态远程监控、远程报警和远程告知，使得塔式起重机安全监控成为开放的实时动态监控。

监控平台的主要目的是实现工地级、企业级、区域（省、自治区、市）级三级网络化、信息化远程安全监督与实时管理。参与监控管理的主体主要有工地安全员、塔式起重机租赁企业、施工单位及安监部门。施工单位需对塔式起重机报警进行相应处置，安监部门可以实时监督查看各个施工企业处理塔式起重机报警的详细信息，形成企业与政府监管部门的监控管理闭环，真正把监管责任落到实处。

塔式起重机运行监控硬件设备综合利用微电子技术、信息传感技术和即时通信技术，将塔式起重机的主要安全装置，包括力矩限制器、起重量限制器、幅度限位器、回转限位器及高度限位器的各项运行数据进行采集、记录和存储，包括塔式起重机荷载监控仪、塔式起重机防碰撞监控仪和塔式起重机区域保护监控仪 3 种仪器设备，主要用于平臂和动臂两种塔式起重机，用户可根据工程实际需要进行选配。塔式起重机安全监控管理系统实现了从地基基础的设计，到塔式起重机安全专项方案编制，力和力矩监控，防碰撞，以及强大的系统监控平台等，构建了一个全过程、全方位的塔式起重机监控系统，对塔式起重机作业的安全能起到较好的保障作用。

（1）安全监控管理

1）塔式起重机在线备案功能：系统平台可以提供在线塔式起重机资质备案，并提供电子地图，准确定位塔式起重机安装位置，对塔式起重机作业状况及时掌控。

2）作业数据记录及存储功能：塔式起重机黑匣子以 10ms 为采样周期，至少存储最近 16000 条工作循环对应的最大力矩及时间，并且记录只可读取不可随意更改。

3）动态实时显示功能：仪器能以图形或数值形式动态实时显示塔式起重机工作参数，使司机能够直观了解塔式起重机工作状态，正确操作，避免误操作和超载。

4）塔式起重机运行预警功能：仪器可设置参数，对起重力矩、起重量、幅度、回转角和允许高度进行控制，超限时，系统将发出预警和控制信号，及时提醒塔式起重机司机采取紧急防护措施。

5）同步远程监控系统：采集的记录数据可通过现场 GPRS 系统传输到数据服务器，并通过数据服务器及时上报到塔式起重机在线监督管理平台，实现同步监控。

6）防碰撞功能：可控制 16 台以内塔式起重机协同作业，对塔式起重机作业状态进行实时监控，智能识别和判断防碰撞危险区域，避免相互之间碰撞事故。

（2）塔式起重机监控前端设备

1）风速传感器：可获得塔式起重机工作状态下的风速，是专门针对各种需要测量风速及大风报警的场合而研制的工业级仪器，具有可靠性高、抗干扰能力强、工作电压范围宽、使用方便、适合恶劣环境工作等特点。

2）塔式起重机专用力矩传感器及支架：起重机在工作时，需根据现场实际情况而经常改变工况进行起重作业，如改变起吊角度（幅度）、起吊臂长等，而在不同工况参数下所能起吊的最大额定起重量及工作最大、最小变幅是不同的，因此需要一套装置对以上参数综合监测判断，做出起重机正常工作、满载、超载、变幅超上限、变幅超下限等工作状态的指示并相应报警、提示、控制，以保证起重机械的正常工作。

3）塔式起重机专用防侧翻传感器：

①记录塔式起重机所有超出设定范围的次数和上电次数，统计塔式起重机工作状态严重超载次数、工作台班数、停电次数、非工作状态下的刚度低于临界值的次数，有利于

对司机工作熟练程度、塔式起重机工作繁忙程度、塔式起重机严重超载频率等做出定量分析。

② 避免绝大部分的人为漏检、人为误操作、人为违规以及高强螺栓松动、地基倾斜等因素造成的塔式起重机倾翻事故。

③ 具有倾角测量功能，可以准确地测量塔式起重机、大型钢结构在安装过程中及安装完毕后的垂直度，避免因倾角过大带来的倒塌事故。

④ 对下列原因造成的塔身倾斜实行动态监测，当达到危险临界状态时，给以报警提示并记录：

超载或严重超载；

回转打反车，急停猛吊、斜拉歪吊；

高强螺栓连接松动；

塔式起重机基础不均匀下沉；

局部钢结构变形或裂缝；

风荷载对塔身的影响。

4）塔式起重机专用小车幅度传感器：感知塔式起重机小车距标准节的距离，获得塔式起重机小车在起重臂上的行程。

5）塔式起重机专用大臂回转传感器角度传感器：感知塔式起重机吊臂的角度。

6）吊重传感器：获得塔式起重机起重量。

7）高度传感器：获得塔式起重机起重吊钩当前的高度位置。

8）塔式起重机黑匣子：是塔式起重机司机的操作细节以及起重机作业统计的电子记录设备，类似于汽车上已经普遍使用的行驶记录仪。塔式起重机黑匣子（以下简称黑匣子）读取重量传感器、回转角度、高度、幅度、风速等传感数据，详细记录起重机每次作业的时间、起重量、力矩以及温度、风速工作环境，并自动生成统计报表及异常数据报表。

根据用户的不同需求，黑匣子可以扩展出远程数据回传、液晶屏显示等功能。

黑匣子主要功能包括：

① 作业记录：起重机的每次作业起止时间、载重量、回转角度、幅度、高度以及计算出来的力矩。

② 司机操作记录：通过摄像头对司机室录像和录音，记录司机的所有操作行为及收到的指令，一般主机可以支持 60 天录像内容的存储。

③ 可视化操作：操作人员可以通过黑匣子的液晶屏，观察当前的重量及额定重量，也可以观察到后方平衡臂上卷筒的情况。

④ 远程管理：如有异常情况，黑匣子立刻将异常数据发送到管理中心的网站，或者以短信方式发送到管理人员手机。

⑤ 管理平台：所有数据通过 GPRS 发送到服务器，管理人员可以非常方便地通过管理平台观察每台塔式起重机的详细情况。

9）GPRS 通信模块：同步远程监控系统采集的记录数据可通过现场 GPRS 系统传输到数据服务器，并通过数据服务器及时上报到塔式起重机在线监督管理平台，实现同步监控。

10）智能防碰撞系统：该设备仪器是为了防止塔式起重机群协同作业时发生碰撞，具体可根据施工实际情况细分为区域保护监控和群塔防碰撞监控。预警提示报警用于塔式起重机碰撞危险的实时报警。报警形式：声音警示，发光警示。报警范围：碰撞危险报警，限位报警，非法侵入禁行区报警。

（3）塔式起重机智能安全远程管理平台

1）塔式起重机远程实时监控画面：绿色表征塔式起重机处于安全区域；黄色表征塔式起重机位于交叉作业区域，有潜在危险；红色表征塔式起重机间距小于报警设定间距，系统正在报警。

2）禁行区防护：塔式起重机吊钩即将进入内禁行区（楼宇、高压线、学校、公园、广场上空），系统正在报警。

3）录像播放：自动记录塔式起重机运行数据，查看历史数据，再现塔式起重机历史运行状态，实现黑匣子记忆，为事故调查提供判定依据。

塔式起重机安全监控管理系统的成功应用，有效地降低了塔式起重机使用的安全风险，提高了建筑施工现场的监管技术装备水平，有力推动着施工现场信息化的发展。塔式起重机监控系统通过应用先进的物联网技术，实现塔式起重机在作业过程中"人的不安全因素"和"物的不安全状态"的全过程全方位监控，实现遏制、杜绝塔式起重机安全事故的目标。建设行业智能信息化的发展越来越快，塔式起重机安全监控管理系统的应用将更加有利于实现施工现场塔式起重机的安全管理，进一步规范起重机械的使用操作，防止施工起重机械重大安全事故的发生。

4.1.2　吊钩可视化监控系统

1. 主要技术内容

吊钩可视化监控系统由高清球形摄像机、液晶显示器、供电系统、硬盘录像机、摄像机控制器、远端屏幕、网络接入器等组成（图 4-1）。通过在塔式起重机吊钩上安装的摄像头、变幅传感器及高度传感器，连接操作室内的主机，对塔式起重机变幅和高度进行实时监测，从而实现对吊钩位置的智能追踪、360°无死角追踪拍摄，保持塔式起重机吊钩及其吊装物品持续出现在监控系统的画面中，并通过驾驶室内的视频屏幕实时显示出来，使塔式起重机司机在作业时能够全程看到吊钩所在的工作范围，减少了因视线受阻而造成的盲吊现象，从而主动避免可能存在的隔山吊及其他各种碰撞隐患。

2. 技术指标

（1）高清球形摄像机完成塔式起重机吊钩图像信息的捕捉。视频信息直接显示在液晶显示器，供塔式起重机司机查看吊钩及所吊物品的状态。

（2）在大臂前端安装高清球形摄像机，可自动追踪吊钩的运行轨迹，避免盲区作业。

（3）球形摄像机自动变焦，保证画面清晰。

（4）通过显示屏以图形数值方式实时显示当前实际工作参数和塔式起重机额定工作能力参数，使塔式起重机司机直观了解起重机的工作状态，正确操作。

4.1.3　门式起重机安全监控系统

1. 主要技术内容

门式起重机安全监控系统由数字语音对讲系统、数字视频监控系统、数据监控系统、本地监控主机、网络传输设备及远程监控平台六个部分组成。

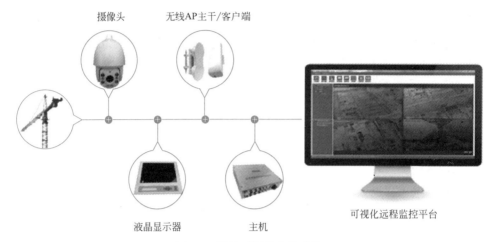

摄像头　　　无线AP主干/客户端

液晶显示器　　　主机　　　　　可视化远程监控平台

图 4-1　吊钩可视化监控系统

2. 技术指标

（1）数字语音对讲系统：门式起重机驾驶室配备数字式车载电台，司机通过操作台话筒与地面指挥或其他工作人员联系，地面指挥或其他工作人员通过对讲机与司机联系。驾驶室配备视频监控和设备监测系统，可实时监测门式起重机工作状态。

（2）数字视频监控系统：采集和存储设备视频信息，并在驾驶室内进行视频显示，为司机操作和设备定位提供帮助，通过网络传输单元把视频信息传输到本地监控主机和远程监控平台。

（3）数据监控系统：分为安全监控和电气监控，通过 PLC（可编程逻辑控制器）采集起重机相关安全监控数据和电气监控数据，在驾驶室通过触摸屏实时显示设备安全监控和电气监控状态，方便用户进行现场故障检修。并通过网络传输单元把安全监控数据和电气监控数据传输到本地监控主机和远程监控平台。

（4）本地监控主机：将计算机作为监控主机，配置网络机柜和 UPS（不间断电源），监控主机放置在货运值班室，值班人员可以通过监控主机的视频信息和数据信息查看货场所有起重设备的运行状况。

（5）网络传输设备：负责采集视频信息和数据监控信息，通过无线传输方式传输到本地监控主机，再经过网络将数据传输到远程监控平台。

（6）远程监控平台：具有设备视频监控、安全与状态监测、故障智能诊断、远程设备维护、维修计划管理、设备管理、信息自动推送等功能，相关设备管理人员可以通过远程监控平台的视频信息和数据信息在办公室查看所管辖内的起重机的运行状况。

4.1.4　升降机安全监控系统

1. 主要技术内容

通过传感器实时监控升降机速度、高度、重量等参数，避免超载等问题，并对异常情况进行声光报警，保证升降机安全运行。此外，通过高频/超高频射频卡或生物识别技术对施工人员进行身份识别，从而避免非正规人员上岗、操作等问题（图 4-2、图 4-3）。

图 4-2　升降机安全监控系统

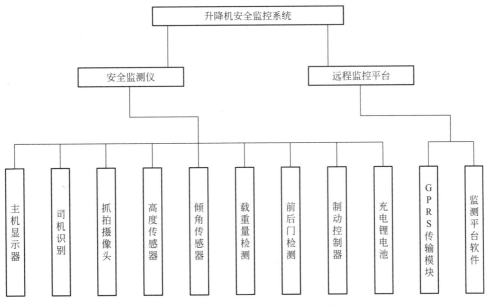

图 4-3　升降机安全监控系统的功能

2. 技术指标

（1）吊笼人数统计：基于视频人数识别技术，智能识别升降机中乘坐的人数。当超过规定乘坐的人数时，系统进行声光报警，根据需求可实现升降机截断，司机将无法操作升降机起升。

（2）冲顶报警：系统传感器实时监测升降机吊厢与顶部的位置关系，接近安全值时，控制升降机减速运行，并截断电源，达到防冲顶事故发生的效果。

（3）超载报警：系统通过重量传感器进行吊厢载重数据的监测，当载重超过安全数值范围后，进行声音提示和警报灯警报，并可进行截断控制。

（4）司机身份识别：针对司机身份提供 IC 卡（集成电路卡）、RFID（射频识别）以及人脸识别等多种方式。升降机司机进行身份识别后，方可启动升降机运行，从而达到记录操作人员和班次、保障升降机操作专业性的目的。

（5）实时数据远程监控：对载重数据、运行状态（上升、下降、悬停、最低部、最顶部）、运行速度、当前操作司机等关键信息进行实时监控。

（6）黑匣子数据记录：提供多种黑匣子记录功能，便于故障追溯。系统间隔某个时间段进行升降机运行数据的记录，其中，对违规数据进行特殊标记，只能增加不能修改删除，只保存某一时间段内的数据，超出后，删除过期数据。

第 2 节　组合铝合金模板施工技术

4.2.1　传统模板施工方式存在的问题

以木胶合板和木方背楞为主的简支简撑的传统施工方法，均依赖现场施工人员的技术水平和管理水平的临场发挥，许多问题由施工现场随机处理，工程质量和施工效率在这样粗放的模式下存在大量不可控的因素，导致施工质量、施工效率和施工安全问题比比皆是，难以有效控制。

传统施工方法的墙模、顶模和支撑系统中，即使局部采取了一些较好的产品和工艺，由于缺乏系统整合，总体效率也难全部发挥出来。例如在北京等北方地区广泛使用的全钢大模板系统，部分解决了墙模简支简撑施工法带来的弊端，但该类模板的设计特点决定了只能应用于墙模，无法解决与顶模和支撑系统有效配合的问题，也就决定了此类模板无法实现墙板和顶板的一次浇筑，使墙模快速浇筑的优势无法在整个施工流程中完整发挥出来。

目前广泛应用于楼顶板的支撑系统，多为钢管扣件和碗扣式脚手架。这些系统与楼顶板模板系统各自独立，缺乏一体化设计，存在着施工效率低下、浪费材料和工时的现象，由于支撑设备和施工方案的不当而造成的安全事故屡有发生，甚至造成严重的人员伤亡事故。目前国际普遍流行的早拆体系，亦难于在此类支撑方案中得到真正有效的应用和实施。

随着我国劳动力成本的迅速提高，过去靠充足低廉的劳动力支撑的经济增长模式已经不可持续。反映在建筑业上，靠人海战术，采用低效率、低成本模板系统的施工方法，也已经难以维持。

仅以目前的工资水平核算，我国支撑和模板的施工预算成本，包括设备和工时成本，已经接近甚至超过了像韩国这样工资水平超过我国的国家。究其原因，是我们现在施工中仍然广泛沿用着传统的效率低下的木模板和粗放型的施工方法。不仅大量浪费了木材等森林资源，违背国家的产业政策导向，增加碳排放，而且由此也造成了施工成本的大幅提高。

解决这些问题的要点是：采用效率高、模数化、可反复使用的新型模板和支撑系统，以及与之相适应的能够有效节约施工现场工时成本的新型施工方法。把传统上发生在建筑工地的问题和许多由工地现场处理的工作，尽量多地在工厂处理、完成，这就是建筑施工工厂化的概念。铝合金快拆模板系统作为一种新型的建筑模板系统，自1962年在美国诞生以来，已经有近60年的应用历史。在美国、加拿大等发达国家，以及像墨西哥、巴西、马来西亚、韩国、印度这样的新兴工业国家的建筑中，均得到了广泛的应用。目前，它在国内珠三角地区普遍运用，未来有代替木模板的趋势。

4.2.2　铝合金模板基本情况简介

1. 按材料分类

铝合金模板（图4-4）按材料分为两种：铝板系统与型材系统。

图4-4　铝合金模板体系

（1）铝板系统的特点：采用铝板和型材结合焊接成模板，由于铝板加工费低，因此整体造价低。

（2）型材系统的特点：采用整体挤压的铝合金型材作为原材，因此整体造价高。该系统的平整度、垂直度及耐久性都比较好。目前全球在使用的项目大多数都采用这个系统。

2. 按安装形式分类

铝合金模板按安装形式也分为两种：钢片连接与高拉力螺栓连接。

（1）钢片连接：该系统采用铝合金型材作为原材。在模板的接缝处开个凹槽，然后将有两个孔的钢片穿插过去，将内墙板与外墙板拉接起来，再将销钉、销片与钢片两个孔连接起来。该系统主要在国外使用（国外的剪力墙厚度100～150mm，结构受力小，都是低层项目，不需要背楞系统）。

（2）高拉力螺栓连接：该系统采用铝合金型材作为原材。在模板中间开20mm的孔

（间距 800mm），然后将内墙板和外墙板用高接力螺栓对拉起来，在模板的外侧再将背楞系统连接起来。该系统由于受力大，目前主要应用在高层及超高层建筑。

4.2.3　铝合金模板体系特点

铝合金模板在材质、施工效果、使用寿命、环保等多方面优于传统木模板，同时可提高工程质量，加快工期，并可避免施工中的人为错误，拆模后基本无残留建筑垃圾，为施工人员提供了安全文明的施工环境。铝合金快拆模板体系适用于混凝土结构墙体、水平楼板、柱、梁、爬模、桥梁等施工，其主要特点如下：

（1）施工便捷，缩短工期：强度高，重量轻，每平方米的重量仅为 21～25kg；施工方便，组装简单，模板可以全部由人工进行拆装，所有材料由人工竖向传递，不依赖塔式起重机和卸料平台；施工效率高，正常施工可达到五天一个标准层。该施工工艺采用早拆模体系，竖向模板在 24h 内可拆模，梁、板结构的底模在 40h 内可拆模，但支撑体系保留不拆。铝模板的支撑体系没有水平杆，通过竖向支撑杆的支撑头与模板组合成刚性连接，各支撑杆之间形成了门架的形式。在模板拆除时，支撑系统仍然保留，在混凝土强度满足要求后再拆除支撑杆。

（2）混凝土观感好：配置 1.2m×0.6m 的标准板和 0.4m×楼层净高的专用大模板，板面幅面大，拼缝少，精度高，确保精准的结构几何尺寸；每块模板都有编号，进行周转时直接对号入座，防止了人为因素的错误；施工质量高，混凝土表面质量平整光洁，达到饰面及清水混凝土的要求。

（3）安全文明，施工可靠：承载能力高，可达每平方米 30kN（试验荷载可达 60kN）；支撑体系没有水平杆，并且下一层的模板直接周转至上一层施工，周转材料的清理方便快捷；在施工的过程中，不会产生混凝土碎屑等建筑垃圾。

（4）经济环保：使用寿命长，成本低，周转次数高，正常使用、规范施工下可达 100次以上，单位价格和传统木、竹模板接近；回收价值高；铝模板是新型的绿色环保建材，即使在使用 100 次以上后，其铝材可 100%回收，循环利用，不会对环境造成污染；铝模板施工中只需配备一套模板周转，施工用材节约明显，并且良好的混凝土外观尺寸减少了抹灰砂浆的用量，减少了因胀模引起的混凝土浪费及清理的人工费，有很好的节能和环保效益。

4.2.4　铝合金模板体系主要性能指标及适用范围

模板支撑体系主要性能指标：模板支撑体系应符合《组合铝合金模板工程技术规程》JGJ 386—2016 的规定。

模板快拆性能指标：竖向模板在 24h 内可拆模，梁、板结构的底模在 40h 内可拆模（混凝土达到 50%的强度），但支撑体系保留不拆。

1. 适用范围

铝合金模板施工工艺适用于混凝土结构墙体、柱、楼板、梁等施工。从安全方面考虑，结合该工艺的支撑体系（包括竖向模板却没有水平杆），该项工艺更加适用于层高在 3.8m 以内的剪力墙结构建筑；从成本方面考虑，铝合金模板的周转次数高，该项工艺适用于 30 层以上的住宅楼标准层的钢筋混凝土结构施工；所有模板都是在工厂定型制作、现场编号拼装，该项工艺适用于标准层结构施工（不宜有大面积的结构变更）；模板体系为早拆体系，该工艺在北方寒冷地区的应用有一定的限制（温度较低会影响混凝土的强度增长）。

通常标准层模板工程选用铝合金定型模板体系，对避难层等非标准层选用铝合金模板与木模板组成的铝木组合模板体系进行施工。

2. 铝合金模板安装工艺流程（图 4-5）

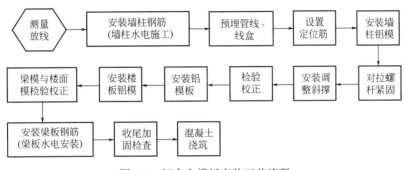

图 4-5　铝合金模板安装工艺流程

4.2.5　铝合金模板系统操作特点

1. 方案设计

施工前，对工程做好详细准确的分析和施工方案设计，配合铝模板系统模数化、系统化、标准化的产品系列，使在施工中可能遇到的问题，最大限度地在方案设计阶段得以解决。

2. 品质精度

铝合金模板系统，采用高强度铝合金型材，按不同模数焊接成各种标准化组件。模板的拼缝和总体精度均大大高于传统模板。

3. 整体试装

传统模板及其施工方法中，许多安装问题均由施工现场人员随机处理，施工效率和工程质量难以有效保证。铝合金模板系统在运往工地前，需针对该工程做 100% 的整体试装，将所有可能出现的问题在工厂解决，从而大大提高施工速度和精度。

4. 施工效率

铝合金模板系统以销钉和销片为主的连接方式，使安装过程变得极为简单。普通的工人只需经简单培训即可上岗操作，所用工具仅为一把木工锤子。在没有塔式起重机或塔式起重机不足的施工现场，因铝合金模板自重轻，可手工搬运，可大大加快施工进度，提高施工效率。拼装和浇筑的施工周期轻易可达到 4 天一个楼层。

5. 早拆技术

铝合金模板系统的顶模和支撑系统实现了一体化设计，将早拆技术融入顶板支撑系统，大大提高了模板的周转率，免除了传统施工方法中大量应用的 U 形托和木方，以及钢管扣件或碗扣式脚手架，产品设计和施工方式合理，节约了材料成本。

6. 施工安全

铝合金模板系统的墙模、顶模和可调支撑乃至相关配件的设计，均经过完整的计算和实验验证，保证整个体系符合 $60kN/m^2$ 的设计标准，安全系数大，最大限度地消除了传统支撑方式和施工带来的安全隐患。

7. 环保回收

铝合金模板系统采用能够循环使用的高强度铝合金材料制成，可全部回收利用，避免了传统建筑施工对森林资源的依赖与浪费。施工现场不需任何加工，环境保持整洁有序，不产生废物废料和噪声。

8. 经济合理

以美国等发达国家的经验，如果使用维护得当，铝合金模板循环使用次数可高达 2500次。仅以这个数据的五分之一，也就是 500 次作为摊销标准，则每平方米模板接触面积，每次浇筑的模板、支撑，包括所有配件的设备成本仅为 2.7～3 元。加上铝产品残值极高的特点，其经济性远远高于其他类型的模板。

4.2.6　铝合金模板施工安全

铝合金模板在现代建筑领域中有着广泛的应用，而在实际施工中，需要遵守相应的安全规范。首先，为了确保铝合金模板安全施工，应设立现场安全管理机构，进行全面动态的安全管理。安全管理机构由项目经理、安全总监、专职安全员、各兼职安全员组成。

在进行施工作业前，所有的工作人员应先进行三级安全教育，并且经考核合格后，方可进场施工。进入施工现场人员必须戴好安全帽，高空作业人员挂好安全带。铝合金模板的支模应在施工现场搭设工作梯，作业人员不得从支撑系统上下。支模搭设、拆除和混凝土浇筑期间，无关人员不得进入支模底下，并由安全员在现场监护。具体安全措施如下：

（1）钢筋要分散存放，不能将大量钢筋堆放在同一楼面上。

（2）拆外墙铝合金模板时，应确保施工位置下层没有人员在外墙施工，工作平台上没有杂物，防止杂物从高空掉下。

（3）铝模板施工人员在外墙工作时必须要佩戴安全带。拆外墙模板配件时，注意配件存放，细小配件应存放在胶桶内，手上工具需有尾绳，防止工具从高空掉下。拆外墙模板时要注意拆一件安放好一件，拆内墙模板时要注意将拆板施工层封闭，非模板工作人员不能进入。

（4）当墙模板从下层传送到上层时，注意上下配合，防止落物伤人。楼地面传料孔在不用时必须盖上，防止工人从传料孔坠下。模板必须整齐堆放，留有通道，不能堆放过高，应在 1m 以下。

（5）内墙模板与梁底板没有连接时，应用撑杆固定墙身模板，防止模板倒下。在出现强风前，应评估有没有足够时间完成整层铝模系统。

（6）没有施工单位的通知，不可将楼面板及梁底板拆除。拆楼面板、梁底板时要注意将拆板施工层封闭，非模板工作人员不能进入。防止模板坠下时伤及他人。拆模板时，工作平台需平放在地面上。

（7）铝模板施工员必须验收所有铝模板楼面支撑顶是否足够。上楼面钢筋前必须通知铝模板施工员，并得到其许可。

（8）混凝土应对称平行浇筑，并安排专人小组负责观察模板系统情况，发现有异常响声、变形、晃动、失稳等非正常现象，立即停止作业，撤离人员并报告。

第 3 节 预防性维修

预防性维修以预防故障为目的，通过对设备的检查、检测，发现故障征兆或为防止故障发生，使其保持规定功能状态，在故障发生之前进行各种维护活动。预防性维修是防止设备故障发生的有效手段，其已成为现代制造企业所普遍采用的一种维护方式。

预防性维修保养制度，最先在欧美实行，与苏联及我国普遍采用的"定期保养、预期检查"制度的主要区别是：预防性维修保养制度更详细规定了不同运转时间间隔对机械设备不断进行保养、检查的项目，发现问题应立即按规定要求进行处理（修复或更换有关部件）；而不明确规定大、中修的时间间隔，以减少对总成及部件过早地进行拆卸、分解造成的不必要损坏和更换。

4.3.1 预防性维修方式

国内外普遍采用的预防性维修方式是状态监测维修和定期维修。近年来国外也提出了以可靠性为中心的维修和质量维修等预防性维修方式。

1. 状态监测维修

这是以设备实际技术状态为基础的预防性维修方式。一般采用设备日常点检和定期检查来查明设备技术状态。针对设备的劣化部位及程度，在故障发生前，适时进行预防性维修，排除故障隐患，恢复设备的功能和精度。

实行这种维修方式时，如采用精密监测诊断技术判断设备技术状态，亦称预知性维修。

状态监测维修方式的主要优点是：既能使设备经常保持良好状态，又能充分利用零件的使用寿命。对于有生产间隙时间（指两班制生产的第三班和法定节假日，国外称"维修窗口"）和企业生产过程中可以安排维修的设备，均可采用这种维修方式。

2. 定期维修

这是一种以设备运行时间为基础的预防性维修方式，具有对设备进行周期性维修的特点。根据设备的磨损规律，事先确定维修类别、维修间隔期、维修内容及技术要求。维修计划按设备的计划开动时数可做较长时间的安排。

我国一些企业实行的"设备三级保养、大修制"也是一种定期维修方式。定期维修方式适用于已充分掌握设备磨损规律和在生产过程中平时难以停机维修的流程生产设备、自动化生产线中的主要生产设备及连续运行的动能生产设备。

实践经验表明，实行定期维修方式的同类设备的磨损规律是有差异的。即使是同型号的设备，由于出厂质量、使用条件、负荷率、维护优劣等情况的差别，按照统一的维修周期结构安排计划维修，也会出现以下问题：一是设备的技术状况尚好，仍可继续使用，但仍按规定的维修间隔期进行大修，造成维修过剩；二是设备的技术状态劣化到难以满足产品要求的程度，但由于未达到规定的维修间隔期而没有安排维修计划，造成失修。为了克服上述弊端，借鉴状态监测维修的优点，对实行定期维修的设备也可采用设备状态监测诊断技术，以求切实掌握设备的技术状态，并适当调整维修间隔期。

由此可见，企业对设备实行定期维修方式时，除了吸取其他企业的经验外，还应重视探索本企业具体设备的磨损规律，据此制定出适合本企业设备实际情况的维修周期，并在实践中修改完善。

4.3.2 预防性维修保养制度的必要性及目的

近年来，不仅是大型企业，中、小企业也由人工操作转为机械化，其结果是造成设备的增加，并急速地向着复杂化、高级化、大型化、自动化发展，因此，和以前相比，各项制造过程生产计划、交货期、质量、成本、安全、环境保护（防止公害）等各方面，因设备不能适应而产生的问题，其比例有按级数增大的趋势。

在设备急速地迈向计算机控制和现代化发展的情况下，如果管理人员、技术人员、维修人员和操作人员仍以老一套的水平从事工作，将会引起使用不当和维修不当故障频出，乃至修理时间增加，不能按期完成计划，拖延交货期，产品质量低劣，成本增高，不断发生灾害事故，作业环境不良，致使操作人员情绪低落厌倦工作，进而关系到整个企业发展，造成严重后果。

为了使上述种种不当造成的损失减少到最低限度，预防性维修保养制度应成为现代企业经营管理中不容忽视的极为重要的一环。再进一步，不仅应该将种种不当造成的损失减少到最低限度，而且应该积极地提高设备的利用效率，从而使生产效率大大提高。

从这个道理来看，预防性维修保养制度的目的在于减少故障次数和缩短修理时间，从而达到以下六点要求：①完成生产计划；②遵守供货期限；③提高产品质量；④降低成本；⑤防止事故、保证安全生产；⑥保护环境。

4.3.3 预防性维修的基础条件

（1）预防性维修是建立在准确的状态诊断基础上的，而准确的状态诊断的前提是完善状态监测，尤其是实时在线监测。虽然目前状态监测的手段不少，但对于运行设备，特别是主机设备、起重设备的状态监测，还难以做到完善和得到可靠设备状态结论。因此，预防性维修计划的制定不仅必须依靠大量的数据采集及设备运行记录，同时需要由设备维修经验丰富的人员进行检查后分析判断。

（2）预防性维修的状态诊断是以单台设备为目标的，以发电机组来说，设备的停运涉及整套机组运行安排，特别是机组的停运检修还涉及整个区域电网的运行方式、电力供求关系的调整，难以按某台设备或某套机组自身的状态确定停用时间。这就需要对系统内多台设备的状态诊断数据进行综合，为设备的管理者提供全面的设备信息，从而制定出最佳的预防性维修计划。

（3）预防性维修技术性很强，需要检修人员具有很高的维修水平的同时，还需考虑成本的制约作用。

4.3.4 预防性维修的原则及方法

预防性维修的基本原则是：以预防为主，坚持日常保养与计划维修并重，使设备经常处于良好状态。

（1）预防性维修工作贯彻预防为主的原则，应把设备故障消灭在萌芽状态，其主要任务是防止连接件松动和不正常的磨损，监督操作者按设备使用规程的规定正确使用设备，防止设备事故的发生，延长设备使用寿命和检修周期，保证设备安全运行，良好地服务于生产。

（2）认真执行设备使用与维护相结合、设备谁使用谁维护的原则。单人使用的设备实行专责制。主要设备（塔式起重机、装载机、施工升降机）实行包机制（包使用、包维护、包检修）、机长负责制，设备使用实行定人、定机、定岗位。

（3）坚持使用和维护相结合的原则，操作人员在设备日常维护工作中做到三好（管好、用好、维护好）、四会（会使用、会保养、会检查、会排除故障）、四懂（懂构造、懂原理、懂用途、懂性能）。各种设备操作者（司机），必须经过培训，达到本设备操作的技术等级要求，经考试合格后，取得操作证方能上岗。

（4）要严格执行日常保养（维护）和定期保养（维修）制度。其中，日常保养是指操作者每班照例进行保养，包括班前的检查；班中注意检查设备运转是否正常；班后清扫、维护。发现隐患，及时排除。

（5）坚持合理规划、科学维护的原则，设备维护工作重点体现在，提高维修工作质量，减少故障停机时间，提高设备作业率。要做到这些就必须做到合理规划，同时注意采用科学的维护方法，以达到效率的最大化。

提高预防性维修的管理水平必须强化检修过程的质量管理及控制，挖掘现有检测设备和手段的潜力，努力提高设备检测分析人员和设备维修人员的业务水平，积极了解现代化检测、信息管理技术动向，及时地添置有效的检测仪器和信息工具，完善设备检测系统、信息管理系统和检修管理系统。

4.3.5　预防性维修作业标准的制定

预防性维修的作业内容及技术标准应依据：

（1）国际和国家现行的行业标准及有关技术规范；

（2）设备生产商提供的检修作业规范及相关技术资料；

（3）维修方设备检修记录及检修经验的总结；

（4）设备的寿命管理目标、维修成本和可靠性目标。

由于设备的不同组成部分及部件使用的工况及频率都有所不同，因此要求确定每个关键部件的检修周期，确保设备的每个部件达到最优化，保证设备整体的可靠性。设备预防性维修管理是一个动态的管理概念，是根据目前设备的具体情况而进行的管理，通过对设备的检修、状态检测等手段不断地进行调整，确定检修的作业项目、检修周期及工期等。

4.3.6　推广生产维修保养制度

在系统工程和行为科学学说的影响下，日本在学习预防性维修保养制度的长处的基础上，产生了比较完整的全员参加的生产维修保养制度。其指导思想是"三全"，即全效率、全过程、全员。重点是日常保养和点检制度。

其中，"专题点检"也称为"设备状态监测（诊断）技术"，已在世界各国先后运用，一方面它可以控制因过度保养维修而造成的费用上升，另一方面也可减少因不及时保养维修而造成的事故损失，减少材料消耗和维修工作量。

日本一些企业采用生产维修保养制度后，设备停机时间平均下降 50%，事故率下降 75%，维修费用下降 25%～50%。加拿大某造纸厂采用生产维修保养制度后，仅在一年半中即降低损失 81%，净收益 500 万美元。

第 4 节　"5S"现场管理法

现场管理是指用科学的标准和方法对生产现场各生产要素，包括人（工人和管理人员）、机（设备、工具、工位器具）、料（原材料）、法（加工、检测方法）、环（环境）、信（信息）等进行合理有效的计划、组织、协调、控制和检测，使其处于良好的结合状态，以达到优质、高效、低耗、均衡、安全、文明生产的目的。现场管理是生产第一线的综合管理，是生产管理的重要内容，也是生产系统合理布置的补充和深入。现场管理包括现场的安全管理、物料管理、计划管理、设备管理、工具管理、人员管理等。"5S"现场管理法最早是日本企业独特的一种管理办法，目前是现代企业管理模式，广泛应用于制造业、服务业等，"5S"现场管理法能够改善现场环境的质量和员工的思维方法，使企业能有效地迈向全面质量管理。

"5S"是指整理（Seiri）、整顿（Seiton）、清扫（Seiso）、清洁（Seiketsu）和修养（Shitsuke）五个项目，因日语拼音都是以"S"开头，所以简称"5S"。"5S"现场管理，是指在生产现场中对人员、机器、材料、方法等生产要素进行有效的管理。

企业将"5S"运动作为管理工作的基础，推行各种品质的管理手法，在塑造企业的形象、降低成本、准时交货、安全生产、高度的标准化、创造令人心旷神怡的工作场所、现场改善等方面发挥了巨大作用。"5S"广泛应用于制造业、服务业等，改善现场环境的质量和员工的思维方法，使企业能有效地迈向全面质量管理，主要是针对制造业在生产现场，对材料、设备、人员等生产要素开展相应活动。根据企业进一步发展的需要，有的企业在"5S"的基础上增加了安全（Safety），形成了"6S"；有的企业甚至推行"12S"，但万变不离其宗，都是从"5S"里衍生出来的。

"5S"管理思路是从小事做起，养成习惯。

"5S"推行目的是提升企业形象，减少浪费，提高安全保障、设备保障、质量保障，提升效率，降低成本。

4.4.1　基本概念

1. 整理

定义：区分要与不要的物品，现场只保留必需的物品。

目的：①改善和增加作业面积；②现场无杂物，行道通畅，提高工作效率；③减少磕碰的机会，保障安全，提高质量；④消除管理上的混放、混料等差错事故；⑤减少库存量，节约资金；⑥改变作风，提高工作情绪。

意义：首先，把要与不要的人、事、物分开，再将不需要的人、事、物加以处理，对生产现场的现实摆放和停滞的各种物品进行分类，区分什么是现场需要的，什么是现场不需要的；其次，对于车间里各个工位或设备的前后、通道左右、厂房上下、工具箱内外，以及车间的各个死角，都要彻底搜寻和清理，达到现场无不用之物。

2. 整顿

定义：必需品依规定定位、定方法摆放整齐有序，明确标示。

目的：不浪费时间寻找物品，提高工作效率和产品质量，保障生产安全。

意义：把需要的人、事、物加以定量、定位。通过前一步整理后，对生产现场需要留下的物品进行科学合理的布置和摆放，以便用最快的速度取得所需之物，在最有效的规章、制度和最简洁的流程下完成作业。

要点：①物品摆放要有固定的地点和区域，以便于寻找，消除因混放而造成的差错；②物品摆放地点要科学合理，例如，根据物品使用的频率，经常使用的东西应放得近些（如放在作业区内），偶尔使用或不常使用的东西则应放得远些（如集中放在车间某处）；③物品摆放目视化，使定量装载的物品做到过目知数，摆放不同物品的区域采用不同的色彩和标记加以区别。

3. 清扫

定义：清除现场内的脏污，清除作业区域的物料垃圾。

目的：清除"脏污"，保持现场干净、明亮。

意义：将工作场所的污垢去除，使异常的发生源容易被发现，是实施自主保养的第一步，有利于提高设备完好率。

要点：①自己使用的物品，如设备、工具等，要自己清扫，而不要依赖他人，不增加专门的清扫工；②对设备的清扫，着眼于对设备的维护保养，清扫设备要同设备的点检结合起来，清扫即点检；清扫设备的同时，做好设备的润滑工作，清扫即保养；③清扫也是为了改善，当清扫地面发现有飞屑和油水泄漏时，要查明原因，并采取措施加以改进。

4. 清洁

定义：将整理、整顿、清扫实施的做法制度化、规范化，维持其成果。

目的：认真维护并坚持整理、整顿、清扫的效果，使其保持最佳状态。

意义：通过对整理、整顿、清扫活动的坚持与深入，从而消除发生安全事故的根源。创造一个良好的工作环境，使职工能愉快地工作。

要点：①车间环境不仅要整齐，而且要做到清洁卫生，保证工人身体健康，提高工人劳动热情；②不仅物品要清洁，而且工人本身也要做到清洁，如工作服要清洁，仪表要整洁，及时理发、刮须、修指甲、洗澡等；③工人不仅要做到形体上的清洁，而且要做到精神上的"清洁"，待人要讲礼貌、要尊重别人；④要使环境不受污染，进一步消除浑浊的空气、粉尘、噪声和污染源，消灭职业病。

5. 修养

定义：人人按章操作、依规行事，养成良好的习惯，使每个人都成为有教养的人。

目的：提升"人的品质"，培养对任何工作都讲究认真的人。

意义：努力提高员工的自身修养，使员工养成良好的工作、生活习惯和作风，让员工能通过实践"5S"获得人身境界的提升，与企业共同进步，是"5S"活动的核心。

4.4.2　基本原则

常组织、常整顿、常清洁、常规范、常自律。

整理：区分物品的用途，清除多余的东西，倒掉垃圾，短期不用的东西放进仓库。

整顿：物品分区放置，明确标识，方便取用，短时间就可以找到要找的东西。

清扫：清除垃圾和污秽，防止污染，谁使用谁负责清洁。

清洁：环境洁净，制定标准，形成制度或管理的公开化、透明化、制度化。

修养：养成良好习惯，提升人格修养。严守标准、团队精神、良好习惯。

4.4.3　效用介绍

"5S"管理的五大效用可归纳为 5 个 S，即 Safety（安全）、Sales（销售）、Standardization（标准化）、Satisfaction（客户满意）、Saving（节约）。

1. 确保安全（Safety）

通过推行"5S"，企业往往可以避免因不遵守安全规则导致的各类事故、故障的发生以及因灰尘或油污所引起的公害等，因而能使生产安全得到落实。

2. 扩大销售（Sales）

施工现场、设备仓库、办公场所拥有一个清洁、整齐、安全、舒适的环境，一支良好素养的施工管理队伍，更能得到业主的信赖。

3. 标准化（Standardization）

通过推行"5S"，在企业内部养成守标准的习惯，使得各项的活动、作业均按标准的要求运行，结果符合计划的安排，为提供稳定的质量打下基础。

4. 客户满意（Satisfaction）

由于灰尘、毛发、油污等杂质经常造成加工精密度的降低，甚至直接影响产品的质量。推行"5S"后，清扫、清洁得到保证，产品在一个卫生状况良好的环境下形成、保管，直至交付客户，质量得以稳定。

5. 节约（Saving）

通过推行"5S"，一方面减少了生产的辅助时间，提升了工作效率；另一方面降低了设备的故障率，提高了设备使用效率，降低一定的生产成本。因此"5S"是一位"节约者"。

4.4.4　推行目的

实施"5S"，可以改善企业的品质，提高生产力，降低成本，确保准时交货，同时还能确保安全生产，并能保持且不断增强员工士气。一个生产型的企业，人员的安全受到威胁，生产的安全受到影响，物品的安全受到影响，生产就无法正常进行。所以，一个企业要想改善和不断地提高企业形象，就必须推行"5S"计划。推行"5S"最终要达到八大目的：

1. 改善和提高企业形象

整齐、整洁的工作环境，容易吸引顾客，让顾客心情舒畅；同时，由于口碑的相传，企业会成为其他企业学习的榜样，从而能大大提高企业的威望。

2. 促成效率的提高

良好的工作环境和工作氛围，再加上很有修养的合作伙伴，员工们可以集中精神，认认真真地干好本职工作，从而大大地提高效率。

3. 改善零件在库周转率

需要时能立即取出有用的物品，供需间物流通畅，可以极大地减少寻找所需物品时滞留的时间。因此，能有效地改善零件在库房中的周转率。

4. 减少直至消除故障，保障品质

优良的品质来自优良的工作环境。只有通过经常清扫、点检和检查工作环境，不断地净化，才能有效地避免污损东西或损坏机械，维持设备的高效率，提高生产品质。

5. 保障企业安全生产

整理、整顿、清扫，必须做到储存明确，物归原位，工作场所内应保持宽敞、明亮，通道随时畅通，地上不可摆设不该放置的东西，工厂有条不紊，意外事件的发生自然就会相应地大为减少，安全也会有了保障。

6. 降低生产成本

一个企业通过实行或推行"5S"，能极大地减少人员、设备、场所、时间等方面的浪费，从而降低生产成本。

7. 改善员工的精神面貌，使组织活力化

可以明显地改善员工的精神面貌，使组织焕发一种强大的活力。员工有尊严和成就感，对自己的工作尽心尽力。

8. 缩短作业周期，确保交货

通过实施整理、整顿、清扫、清洁来实现标准的管理，企业的管理就会一目了然，使异常的现象明显化。企业生产也能相应地顺畅，作业效率提高，作业周期缩短，确保工期万无一失。

4.4.5　推行步骤

（1）成立推行组织。

（2）拟定推行方针及目标。

（3）拟定工作计划及实施方法。

（4）教育。

（5）活动前的宣传造势。

（6）实施。

（7）确定活动评比办法。

（8）查核。

（9）评比及奖惩。

（10）检讨与修正。

（11）纳入定期管理活动中。

4.4.6　管理效用

（1）"5S"管理是节约家，实现了成本优化。

（2）"5S"管理是最佳推销员，提升了企业形象。

（3）"5S"管理不仅是安全保障者，也是品质守护者。

（4）"5S"管理是标准化的推动者。

（5）"5S"管理形成令人满意的职场，提高了工作效率。

参考文献

[1] 马记.机械员专业基础知识 [M].北京：中国建筑工业出版社，2017.

[2] 马记.机械员专业管理实务 [M].北京：中国建筑工业出版社，2017.

[3] 马记.机电工程常用规范理解与应用 [M].北京：中国建筑工业出版社，2016.